W9-AWQ-073

I love you

월간〈수퍼레시피〉를 발간하는
레시피팩토리는 행복레시피를 만드는
감성 공작소입니다.
레시피팩토리는 모호함으로 가득한
세상 속에서 당신의 작은 행복을 위한
간결한 레시피가 되겠습니다.

아기가 잘 먹는

이유식은 따로 있다

prologue

마더스고양이's message

아기가 처음 태어났을 때 많은 엄마들이 모유수유에 목숨을 걸지요. 저 역시 그랬답니다. 하지만 저와 비슷한 시기에 아기를 낳은 친구들이 완모(완전 모유 수유)를 하고 있을 때, 저는 젖의 양이 턱없이 부족했고 아기가 제 젖을 거부하기까지 했어요. 누구나 한 번쯤 경험한다는 산후 우울증에, 엄마 젖만 보면 싫다고 울어대는 아기, 남편도 가족도 나를 이해하지 못한다고 느꼈던 그 추운 겨울 날, 이 상태로는 미칠 것만 같아서 집 앞 놀이터로 가출을 했어요. 나가도 갈 데가 없더라고요. 눈물을 펑펑 쏟고 미친 듯 소리를 지르고 나니 한 꺼풀 벗은 기분이 들었답니다. 그 후 아기가 만 4개월이 지나 이유식을 시작할 수 있게 되었을 때, 내가 모유 대신 아기에게 해줄 수 있는 것이 이유식이라는 생각에 최선을 다했습니다. 그 덕분에 지금 이렇게 책도 낼 수 있게 되었네요.

저희 아기 이름은 장지민이에요. 5살(40개월)이 되었어요. 지민이는 흔히들 말하는 식신이 내린 아이는 아니에요. 다른 아이들처럼 잘 먹는 날도 있고 잘 먹지 않은 날도 있는 평범한 아이로 자랐습니다. 하지만 이유식을 잘 먹인 덕분인지 편식하지 않는답니다.
고기 먹을 때는 상추쌈을 싸서 먹고 곰탕을 먹을 때는 다진 파를 넣어서 먹을 줄 아는 아이구요. 된장찌개, 멸치, 콩은 기본이고 당근, 양파, 파프리카, 브로콜리 등 모든 종류의 채소도 다 좋아해요. 고기도 가리지 않고 다 먹구요. 과일은 하루도 빠지지 않고 종류를 가리지 않고 다 잘 먹어요. 그 덕분인지 병치레도 심하게 하지 않고 감기에 걸려도 금방 낫는답니다. 처음 보는 음식도 그 음식의 이름, 재료, 조리법 등을 설명해주면서 먹게 하면 거부감 없이 다 먹어요. 전 이 모든 것이 이유식을 잘 먹였기 때문이라고 생각합니다. 엄마의 편견 없이 다양한 식재료를 접해주고, 당시에 잘 먹건 잘 먹지 않건 꾸준히 가리지 않고 먹이고, 잘 안 먹는 재료는 다른 재료에 숨겨서도 먹였어요. 그렇게 다양한 맛을 접해주는 것이 중요하다고 생각했었고 그 생각은 결국 맞았습니다.

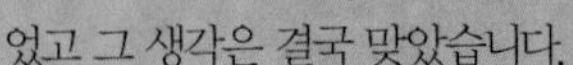

잘 먹인다는 건 아무거나 무엇이든 먹이는 건 아니랍니다. 개월 수에 맞게 적합한 재료와 조리법으로 엄마의 정성이 가득 담긴 이유식을 만들어 주는 것은 정말 중요한 일이에요. 아기의 컨디션과 상황에 맞춰 그때 그때 능동적으로 만드는 것은 엄마만이 할 수 있는 일이니까요.

지금 뒤돌아보면 즐겁지 않은 육아는 엄마나 아기 모두에게 독이 되는 것 같아요. 혹자는 엄마가 직접 만들지 않은 이유식을 먹이면 큰일이라도 나는 것처럼 말하는데, 저 또한 레토르트 식품이나 즉석 조리 이유식 같은 인스턴트 이유식은 반대하지만, 엄마도 사람이고, 엄마도 살아야 하니 많이 힘들면 가끔은 홈메이드 이유식을 배달시켜 먹일 수도 있다고 말해주고 싶습니다.

이번에 책을 만들면서 이유식을 처음 시작하거나 이유식을 하고 있는 많은 엄마들이 제가 그랬던 것처럼 좀 더 즐겁게 이유식을 만들 수 있었으면 좋겠다는 생각을 했어요. 엄마가 즐거워야 맛있는 음식이 되고, 아기도 행복해지니까요. 실컷 열심히 만들었는데 아기가 안 먹어서 화가 나는 일이 생겨도 좌절하지 마세요. 가끔은 만들기 귀찮아 꾀를 부려도 괜찮아요. 책과 인터넷 그리고 주변 사람들의 말에 아기를 맞추려고 하지 마시고 엄마가 아기에게 맞춰주세요. 내 아기에 대해서 가장 잘 아는 건 바로 엄마니까요. 엄마의 기본 마음, 내 아기를 위해 좋은 것을 먹이고 싶다는 그 마음만 가지고 있으면 누구나 아기가 잘 먹는 이유식을 만들 수 있습니다. 자, 모두들 파이팅입니다~!

2010년 2월, 마더스고양이 김정미

Contents

chapter 01
초기 이유식
(생후 4~6개월)

아기들이 좋아하는 시기별 간식

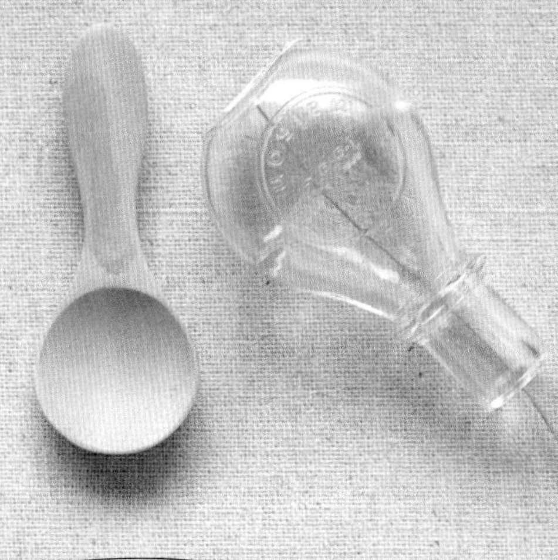

chapter 02
중기 이유식
(생후 7~9개월)

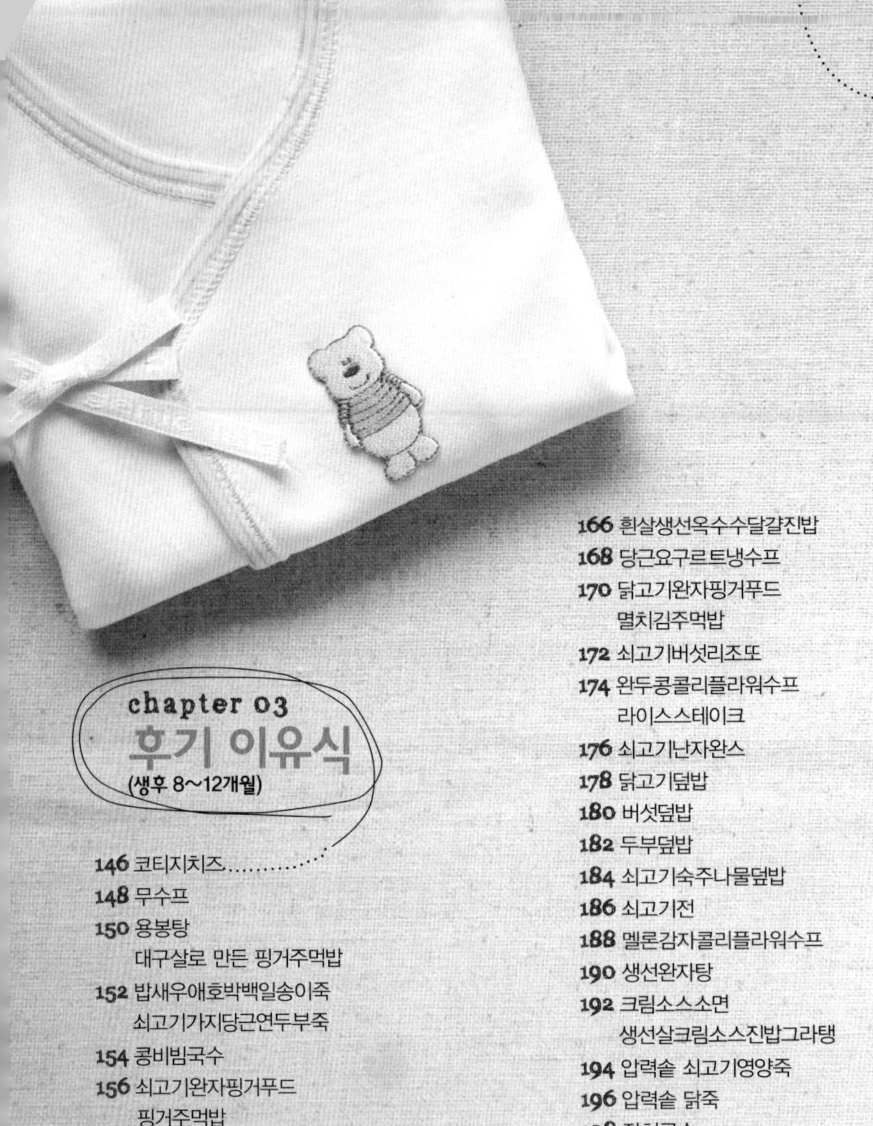

chapter 03
후기 이유식
(생후 8~12개월)

chapter 04
완료기 이유식
(생후 12개월 이후)

Plus info.

"엄마들, 이런 이유식 책을 바란다!"

네이버 육아카페 마더스 설문 조사를 통해 제가 만들고 싶었던 책과 아기를 키우고 있는 엄마들이 바라는 책이 같다는 것을 알게 되었습니다. 이 책의 모든 내용을 요약할 수는 없지만 가장 많이 원하셨던 포인트만 정리해보았습니다.

저울 없이도 이유식을 만들 수 있게 숟가락 등으로 표기해 주세요

재료는 정확한 계량을 위해 g으로 표기했고, 이와 함께 재료를 삶거나 찌거나 체에 내리는 등 손질한 후의 분량을 계량스푼으로 재서 표기해 저울 없이도 만들 수 있습니다. 또한 조리로 인한 분량의 오차도 최소화했습니다. 혹 집에 계량스푼이 없으면 밥숟가락을 사용하되 조금 더 넉넉히 담아주세요.

예] 쇠고기 15g(1큰술)

초보 엄마를 위해서 쉽게 설명해주세요

모든 레시피는 만드는 과정을 사진으로 넣었습니다. 또한 Tip을 넣어 자세한 보충 설명까지 더했습니다.

이유식 레시피를 다양하게 실어주세요

현재 온라인이나 기존 이유식 책에서 부족한 후기부터 완료기 이유식 레시피를 더욱 많이, 다양하게 실었습니다.

아기에게 먹일 수 있는 간식도 알려주세요

중기부터는 아기에게 간식을 먹이는데, 정작 간식으로 할 만한 레시피는 찾기 어려웠습니다. 그래서 쉽고 간단한 간식을 시기별로 따로 실었습니다.

아기가 잘 안 먹을 때 혹은 아플 때나 빈혈이 걱정될 때, 변비가 생겼을 때 등 아기의 컨디션에 맞는 레시피를 실어주세요

아기가 컨디션이 좋지 않아 입맛이 없다면 적어도 2~3일은 지속됩니다. 아이의 상황에 맞게 챙겨 먹일 수 있는 이유식을 각 시기별 도입부에 정리했습니다.

바쁜 엄마를 위해 간단하게 만들 수 있는 이유식 팁을 알려주세요

매 끼마다 이유식을 바로 만들어 먹이기도 어렵고, 매 번 새로운 재료를 손질해서 만들기도 힘들답니다. 그럴 때 유용하게 활용할 수 있도록 이유식 간단히 만드는 방법, 재료 밑손질과 갈무리법, 이유식 보관법 등을 따로 실었습니다.

이유식 만드는 도구와 이유식기, 이유식용 숟가락 등을 알려주세요

먼저 아기를 키워 본 선배 엄마로서 다른 분들이 시행착오를 겪지 않도록 좋은 제품들만 골라 소개했습니다. 별도로 마더스고양이의 초이스에서 강추 육아용품들도 따로 실었습니다.

이유식 재료의 효능을 알려주세요

레시피마다 소개 글과 Tip을 통해서 이유식 재료가 어디에 좋은지 정리했습니다. 신선한 재료 고르는 법과 재료 손질법, 다양한 활용법 등도 실었습니다.

이유식 시기별로 먹일 수 있는 재료와 먹일 수 없는 재료, 그리고 제철 재료를 알려주세요

시기별로 먹일 수 있는 재료와 제철 재료를 보다 자세히 표로 만들어 실었습니다. 이유식 시기별 재료 중 제철 재료를 골라 맛있는 이유식을 만들어주세요.

믿을 수 있는 이유식 재료를 구입할 수 있는 곳을 알려주세요

완두콩이나 옥수수 등 제철이 아니면 구하기 힘든 재료, 인공 첨가물이나 농약, 항생제 등으로부터 자유로운 재료를 구할 수 있는, 믿을 수 있는 온·오프라인의 친환경 숍을 정리해서 실었습니다.

이유식 재료를 다양하게 활용할 수 있는 방법을 알려주세요

한 가지 재료로 여러 가지 이유식을 만들 수 있는 레시피도 실었고, 자투리 재료를 활용해 만드는 이유식도 실었습니다. 그 외 남은 재료를 어른들 요리에 활용할 수 있는 방법도 Tip에 정리했습니다.

외출할 때 좋은 이유식을 알려주세요

식은 상태로 먹여도 괜찮고 외출할 때 먹이기 편한 이유식은 각 시기별 도입부에 정리해 넣었습니다.

이유식을 시작하기 전에 먼저 읽어주세요!

요리에 대한 에피소드 & 생생한 영양 정보

마더스고양이가 이유식을 만들면서 겪은 요리에 대한 에피소드와 재료의 영양학적인 측면을 일목요연하게 정리했습니다. 입맛 없는 아기를 위한 이유식, 변비에 좋은 이유식, 보양 이유식 등 상황에 맞는 이유식은 별도로 표시했습니다.

재료 리스트와 숟가락 표시

- 재료의 양은 한 끼에서 세끼 정도 먹을 분량입니다. 각 **재료의 g 옆에 괄호로 표시되어 있는 계량스푼의 양은 재료를 다지고, 으깨고, 삶고, 데치는 등 재료를 다 손질 한 후의 양을 표기한 것입니다.**
- 계량스푼 표시는 계량스푼을 기준으로 윗면을 평평하게 만든 후 큰술, 작은술로 표기한 것으로, **집에 있는 밥숟가락을 사용할 경우 조금 위로 수북이 담으면 됩니다.**
- 물 1컵의 분량은 200cc입니다. 분유병을 활용하면 보다 쉽게 이유식을 만들 수 있습니다.

양배추미음

“모유나 분유만 먹을 때와는 달리 이유식을 시작하면 변이 달라집니다. 변비가 생기거나 변이 묽어지거나 변의 색이 달라질 수도 있어요. 이는 이유식을 시작해서 달라지는 것이니 크게 걱정 하지 않으셔도 됩니다. 그래도 걱정이 되신다면 아기가 다니는 병원의 의사선생님께 응가 사진이나 응가 기저귀를 보여주면서 상담해 보세요.”

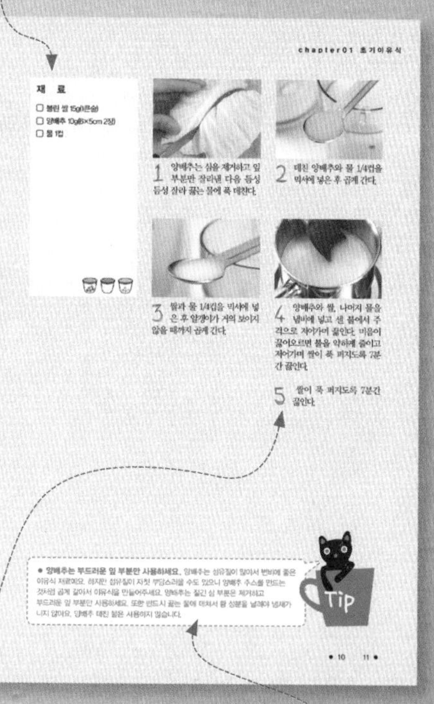

chapter01 초기이유식

재 료

- 불린 쌀 15g(1큰술)
- 양배추 10g(5×5cm 2장)
- 물 1컵

1 양배추는 심을 제거하고 잎 부분만 잘라낸 다음 듬성듬성 잘라 끓는 물에 폭 데친다.

2 데친 양배추와 물 1/4컵을 믹서에 넣은 후 곱게 간다.

3 쌀과 물 1/4컵을 믹서에 넣은 후 알갱이가 거의 보이지 않을 때까지 곱게 간다.

4 양배추와 쌀, 나머지 물을 냄비에 넣고 센 불에서 주걱으로 저어가며 끓인다. 미음이 끓어오르면 불을 약하게 줄이고 저어가며 쌀이 푹 퍼지도록 7분간 끓인다.

5 쌀이 푹 퍼지도록 7분간 끓인다.

- **양배추는 부드러운 잎 부분만 사용하세요.** 양배추는 섬유질이 많아서 변비에 좋은 이유식 재료예요. 하지만 섬유질이 자칫 부담스러울 수도 있으니 양배추 주스를 만드는 것처럼 곱게 갈아서 이유식을 만들어주세요. 양배추는 질긴 심 부분은 제거하고 부드러운 잎 부분만 사용하세요. 또한 반드시 끓는 물에 데쳐서 향 성분을 날려야 냄새가 나지 않아요. 양배추 데친 물은 사용하지 않습니다.

• 10 11 •

보기 쉬운 과정컷 표시

모든 레시피의 만드는 과정을 한눈에 알아볼 수 있게 사진으로 자세히 실었습니다. 이유식 묽기나 덩어리의 크기를 확인할 수 있어서 초보 엄마들도 쉽게 이유식을 만들 수 있습니다.

요리를 만만하게 해주는 알짜 정보

각 요리에 대한 팁과 마더스고양이의 노하우를 소개한 곳입니다. 밑손질 방법이나 남은 재료 활용법, 만들기 포인트 등 요리할 때 꼭 필요한 정보들이니 요리하기 전에 꼭 확인하세요.

이유식, 확실하게 이해하기

이유식이란?

이유식은 지금까지 아기가 먹어온 모유나 분유가 아닌 고형으로 된 음식을 먹는 연습을 하는 과정입니다. 평생 동안 먹을 음식과 친해지는 시기예요. 그렇기에 이유식만으로 배를 채우려고 하지 마세요. 잘 먹는 날도 있고 잘 안 먹는 날도 있지만, 하루 하루에 연연하지 마시고 아기를 천천히 지켜보며 아기에게 맞춰서 만들어주세요.

이유식 시작의 중요성

생후 6개월까지는 모유나 분유만으로도 충분한 영양 섭취가 가능합니다. 그러나 만 6개월 이후부터는 모유나 분유만으로 성장에 필요한 영양을 모두 섭취하기가 힘듭니다. 아기는 태어날 때 6개월 분량의 철분을 가지고 태어납니다. 6개월 이후에는 엄마 젖만으로는 철분을 보충할 수 없고, 모유에서도 면역력에 필요한 아연이 부족해지기 때문에 철분과 아연 등의 영양소 공급을 위해 만 6개월 이후부터는 고기를 꼭 먹여야 합니다. 또한 만 6개월 이후의 아기는 전분과 당질을 분해하여 에너지를 만드는 힘도 생깁니다. 그렇기 때문에 앞으로 먹어야 하는 고형식 연습을 하면서 부족한 영양도 보충하기 위해 이유식이 필요합니다.

이유식으로 건강한 식습관을 길러주세요

이유식을 하면서 밥 먹는 습관을 함께 길러주는 게 중요해요. 식사 예절은 물론 적당한 양 만큼 먹기, 잘 씹어 먹기, 편식하지 않기 등의 식습관이 이유식을 하면서 많이 훈련됩니다. 아기 이는 보통 6개월 전후로 앞니부터 나기 시작하지만, 사실 이가 나는 시기와 속도는 아기마다 큰 차이가 있어요. 이가 늦게 나더라도 잇몸으로 음식을 으깨 먹을 수 있기 때문에 이유식을 하면서 씹고 삼키는 연습을 할 수 있어요. 고형식이 아닌 유동식으로 된 이유식은 씹는 연습을 방해하므로 꼭 덩어리 음식으로 이유식을 해야 합니다. 씹는 훈련이 잘 된 아기는 뇌에 자극을 받아 머리도 좋고, 얼굴 근육과 골격이 잘 발달해서 얼굴도 예쁘답니다.

이유식 시기와 순서

이유식은 초기, 중기, 후기, 완료기로 이루어져 있어요. 빠르면 4개월부터 시작하여 첫돌 지나 어른 밥과 거의 같은 밥을 먹을 수 있기 전까지를 말합니다. 하지만 개월 수에 따라 이유식 시기를 명확하게 나눌 수 없는 것이 이유식이기도 합니다. 여기서 말하는 개월 수에 따른 이유식 시기나 묽기의 정도, 덩어리의 크기는 대체적인 것이니, 내 아기에게 맞춰 엄마가 융통성있게 진행하면 됩니다. 이유식은 아기가 기분이 좋고 수유 전 배가 조금 고플 때 먹이세요. 이유식 후 붙여서 수유를 해야 아기가 한 번에 많이 먹을 수 있는 연습이 됩니다. 혹시라도 아기가 이유식 후 배가 불러 수유를 거부하면 억지로 먹이지 마시고 아기의 의사를 존중해주세요.

초기 만 4~6개월(하루 이유식 1회)

아토피, 알레르기를 일으킬 위험 요소가 적은 쌀미음부터 시작하세요. 쌀미음을 먹이다가 초기 이유식에 먹여도 되는 채소를 한 번에 한 가지씩 쌀미음에 첨가해 먹이면서 아기의 반응을 살피세요. 물로만 끓여야 되고 육수나 사골국물, 멸치 육수, 다시마 물 등 물 이외의 다른 것으로 이유식을 끓이면 절대 안 됩니다. 분유 수유를 하는 아기의 경우 빠르면 만 4개월부터 이유식을 시작할 수 있어요. 모유 수유하는 아기나 아토피, 알레르기가 있는 아기는 만 6개월부터 이유식을 시작하면 됩니다. 하지만 만 6개월부터는 매일 고기를 먹여야 하기 때문에 아토피나 알레르기가 없으면 가급적 5개월 반부터 이유식을 시작하세요. 2주 동안 채소 진도를 조금 나갈 수 있어서, 바로 고기를 먹여야 한다는 부담감이 좀 덜어지실거예요.

중기 만 6개월~8개월(하루 이유식 2~3회, 간식 1회)

초기 이유식을 빨리 시작한 아기는 중기 이유식을 6개월쯤 들어갈 수 있습니다. 6개월부터는 고기를 매일 먹여야 합니다. 쇠고기나 닭고기 육수도 사용할 수 있어요. 물로 끓이는 것보다 육수를 넣어서 끓이는 게 영양도 풍부하고 더 맛있기 때문에 아기가 잘 먹어요. 중기 이유식부터는 조금씩 덩어리진 음식을 먹는 연습을 시키세요. 이가 아직 나지 않았더라도 잘게 자르거나 으깨주면 잇몸으로 씹어 먹을 수 있습니다. 어른 밥알은 먹이지 마세요. 아직은 아기가 소화하기 힘들 뿐만 아니라 잘못하다간 지금까지 열심히 해온 이유식의 노력이 무너질 수도 있어요. 아기가 숟가락을 잡으려 하면 숟가락을 손에 쥐어주세요. 이때부터 컵 사용하는 법을 알려주세요. 스트로우 타입, 컵 타입, 스파우트 타입 등 어떤 타입의 컵이든 순서는 그리 중요하지 않습니다. 아기가 쉽게 마실 수 있는 것으로 골라서 주세요.

후기 만 9개월~12개월(하루 이유식 3회, 간식 1~2회)

중기 후반이나 후기 초반쯤 되면 아기들은 뭐든 손으로 집으려고 합니다. 손의 소근육을 키워주는 연습을 하기 좋은 시기므로 핑거푸드를 만들어주시고 숟가락을 사용하게 해주세요. 후기 이유식에 들어서면 아기에 따라 숟가락이나 죽을 거부하는 경우도 있습니다. 그럴 때는 부드럽게 덩어리진 음식을 만들어 주어 아기가 즐겁게 먹을 수 있게 융통성을 발휘해주세요. 이유식을 잘 안 먹으면 간을 안 해서 맛없어서 그렇다는 말을 많이 듣게 되는데, 간을 좀 해서라도 아기에게 이유식을 먹이고 싶겠지만 간을 한 음식을 받아먹는 것은 잠깐입니다. 아기에게 먹이려고 점점 더 세게 간을 하게 되는 악순환이 반복될 거예요. 굳이 간을 조금 한다면 천연조미료나 육수를 조금만 이용하세요. 이 때 물은 꼭 컵에 주고, 젖병으로 물을 먹이지 마세요.

완료기 만 12개월 이상(하루 이유식 3회, 간식 2회)

첫돌이 지났다고 해서 아기가 어른들과 같은 밥을 먹을 수 있는 것은 아닙니다. 여전히 죽만 먹으려고 하거나 덩어리가 조금 큰 음식은 싫어하는 아기도 있고, 죽 종류는 절대 안 먹는 아기도 있을거예요. 어떤 아기는 엄청 잘 먹고, 어떤 아기는 여전히 엄마 젖이나 분유만을 좋아하는 아기도 있을거고요. 아기마다 다 다릅니다. 특히 돌 전후 일시적으로 먹는 양이 줄어들고, 심한 병치레도 한 번쯤은 합니다. 하지만 거의 모든 아기들이 겪는 일이니 너무 걱정하지 마세요. 아기가 잘 안 먹는다고 간식으로 배를 채우는 것은 이유식을 안 먹는 악순환이 반복되는 일이므로, 아기가 이유식을 잘 안 먹을 때는 과감하게 간식을 끊으세요. 대부분의 경우 배가 고프면 이유식을 먹기 마련입니다.

이유식, 이것만은 기억하세요!

너무 빨리 시작하지 마시고 만 4개월부터 만 6개월 사이에 시작하세요

만 4개월 이전에는 모유나 분유 이외에 다른 것은 먹이지 마세요. 과일도 절대 안 됩니다. 아기가 어른들이 먹는 것을 보면서 입맛을 다시거나 침을 흘리면 이유식을 시작할 준비가 되었다는 신호입니다. 아기가 아토피, 알레르기가 있다면 만 6개월 이후에 이유식을 시작하세요.

아기를 이유식(책)에 맞추지 마시고, 이유식을 아기에게 맞추세요

개월 수에 맞게 이유식을 진행하더라도 아기마다 이유식을 받아들이는 것은 천차만별입니다. 평균은 있지만 정해진 양이나 농도가 있는 것은 아닙니다. 아기를 가장 잘 아는 것은 아기의 엄마이니 아기에게 맞춰서 이유식을 먹이세요. 아기가 이유식을 힘들어하면 양을 조금 줄이고 묽기나 덩어리를 조절해가면서 아기에게 맞춰주세요.

이유식을 주식으로 먹이지 마세요. 주식은 모유나 분유입니다

첫돌까지 주식은 모유나 분유입니다. 이유식을 주식으로 먹여서는 안 됩니다. 모유나 분유만으로도 필요한 영양분을 다 섭취하지 못하지만, 이유식만으로도 필요한 영양분을 다 섭취할 수 없어요. 돌까지는 적어도 600㎖의 모유나 분유를 먹어야 합니다. 돌 무렵이 되었을 때 이유식의 양이 점점 늘어나면서 분유의 양은 줄어들게 되고 돌 이후 분유나 젖을 끊으면 그 이후에는 아기가 자연스럽게 밥만으로도 충분한 영양분을 공급받게 됩니다.

엄마가 직접 만들어주세요

이유식은 엄마가 직접 만들어 먹이는 게 가장 안전합니다. 그리고 아기에 따라 이유식을 받아들이는 정도는 점점 차이가 나요. 그렇기 때문에 아기에게 맞춰 이유식을 진행하려면 아기를 가장 잘 아는 엄마가 직접 만들어서 먹이는 게 좋습니다. 하지만 엄마가 너무 바쁘거나 힘들면 배달 이유식인 홈메이드 이유식을 병행해서 먹여도 괜찮습니다. 단, 사 먹이는 음식에만 의존하면 아기의 식습관 잡기나 아기와의 교감은 어렵답니다.

시판 이유식이나 가루로 된 이유식, 선식 등은 먹이지 마세요

마트에서 파는 레토르트 타입의 이유식, 인스턴트 이유식, 가루로 된 이유식은 먹이지 마세요. 엄마가 먼저 먹어보세요. 정말 맛이 없습니다. 어른들도 인스턴트 음식을 먹으면 좋지 않은데 아기가 먹는 이유식은 두말 할 것도 없겠지요. 시판 이유식은 초기의 경우 덩어리가 아예 없는 이유식도 있어요. 그런 경우 이유식의 목적인 고형식을 먹는 연습은 할 수가 없습니다. 선식은 고형식이 아닐 뿐만 아니라 여러 가지 재료가 한꺼번에 들어 있어요. 돌 이후에 먹여야 하는 땅콩이나 호두 등 알레르기를 유발할 수 있는 재료가 들어 있는 경우도 많기 때문에 선식으로 이유식을 하면 안 됩니다. 쌀로 된 레토르트 이유식의 경우에도 성분을 보면 설탕이나 소금이 들어 있기도 해요. 맛을 알아가는 시기에 신선한 재료로 만든 이유식이 아니라 시판 이유식으로 이유식을 하는 것은 아기가 알아야 할 많은 정보와 즐거움을 빼앗는 일입니다.

돌 이전에는 간을 하지 마세요

아기는 아직 신장 기능이 발달하지 못해서 나트륨을 배출하기가 힘듭니다. 그리고 한 번 간을 한 음식을 먹기 시작한 아기는 재료 본연의 맛이 살아 있는, 간을 하지 않은 심심한 이유식은 먹으려고 하지 않습니다. 평생의 식습관이 정해지는 이유식 시기에 맵고 짠 자극적인 음식이 아니라 싱겁고 몸에 좋은 음식을 먹는 습관을 길러주세요. 이유식을 통해 온 가족의 나트륨 섭취량을 줄이는 계기가 될 수도 있습니다.

첫 이유식은 쌀로 시작하고 시판 주스, 과일 주스는 나중에 먹이세요

첫 음식을 과일로 시작한 아기는 알레르기를 일으킬 위험이 있고, 단맛에 익숙해져서 심심한 이유식을 먹지 않으려고 합니다. 단맛은 최대한 천천히 알게 해주는 것이 좋습니다. 서양에서는 첫 이유식을 배로 하지만 그 배는 단맛이 거의 없는 서양배(pear)로 우리나라의 배와는 다릅니다.

안전한 재료로 만들어주세요

안전한 재료라는 것이 꼭 유기농 재료만을 뜻하는 것은 아닙니다. 제철에 나는 신선한 재료로 만든 이유식이 가장 건강한 이유식입니다. 하지만 유기농 재료와 무항생제, 무성장촉진제 육류를 사용하는 것이 더 좋겠지요. 월령에 맞춰서 알레르기를 일으킬 위험이 적은 재료 순서로 차근차근 이유식을 만들어주세요. 특히 처음 들어가는 재료의 경우 한 가지씩 첨가해 보면서 아기의 반응을 살피는 것이 중요해요. 초기 이유식의 경우 특히 조심스럽기 때문에 재료 하나를 첨가하면 2~3일 정도 아기의 반응을 보세요. 이유식을 시작한 후 발진, 구토, 설사 등을 보이면 알레르기를 의심할 수 있으므로 어떤 재료에 이상 반응을 보이는지 체크하면서 먹이세요.

정해진 자리에서 숟가락으로 이유식을 먹이세요

이유식 시기부터 식사 예절을 잡아주는 것이 중요합니다. 밥그릇을 들고 아기를 따라다니면서 먹이면 앞으로도 쭉 따라다니면서 밥을 입에 넣어줘야 해요. 아기가 처음에는 숟가락을 혀로 밀어낸다고 해도 숟가락 연습을 시키세요. 젖이나 젖병 빠는데 익숙해져 혀로 밀어내는 것이지 이유식이 싫어서 그런 것은 아닙니다. 중기 이유식을 할 때는 아기가 숟가락을 스스로 잡고 먹으려고 합니다. 그리고 이가 하나둘씩 날 무렵이기 때문에 숟가락을 씹는 경우가 있어요. 딱딱한 플라스틱이나 쇠로 된 숟가락은 잇몸을 다치게 할 수 있으니 모서리가 둥근 제품을 사용하고 실리콘 재질로 된 숟가락을 사용하세요. 물은 젖병에 넣지 말고 컵이나 빨대컵을 사용하는 법을 연습시켜주세요.

간격은 규칙적으로 아기가 기분 좋을 때 먹이세요

이유식은 정해진 시간에 맞춰서 먹이면 좋아요. 처음 시작할 때는 오전 시간, 모유나 분유 수유 전 아기가 배고플 때 먹이세요. 하지만 아기를 키우다 보면 정해진 시간에 먹이는 것이 쉽지는 않아요. 오전 오후 몇 시라는 시간은 지키기 힘들지만 아기의 컨디션과 리듬에 맞춰서 이유식을 먹여야 아기도 엄마도 즐겁게 이유식을 할 수가 있어요. 아기가 모유나 분유를 먹는 시간, 아기가 컨디션이 좋은 시간은 비교적 규칙적이므로 아기에게 맞춰 이유식 먹는 횟수와 시간을 정하세요.

개월수별 먹여도 좋은 식품과 주의해야 할 식품

	곡류	채소류	과일류
초기	가능 쌀, 찹쌀 **주의** 오트밀은 5개월 이후에 먹인다.	가능 감자, 애호박, 양배추, 브로콜리, 고구마, 단호박, 오이, 콜리플라워, 청경채, 비타민 **주의** 시금치, 무, 당근, 배추, 양파는 6개월 이후에 먹인다.	가능 사과, 배, 자두 **주의** 바나나는 양쪽 끝은 잘라내고 가운데 부분만 중기 무렵부터 먹인다.
중기	가능 현미, 차조, 옥수수, 보리, 수수(알레르기인 경우 옥수수, 보리, 수수는 돌 이후에 먹인다.)	가능 시금치, 무, 당근, 배추, 양파, 비트, 아욱, 버섯류, 연근	가능 수박
후기	가능 녹두 등 대부분의 곡류 **주의** 알레르기가 없으면 밀가루 가능. 식빵은 달걀, 설탕, 버터 등이 함유되지 않은 것을 먹인다.	가능 숙주, 콩나물, 우엉, 가지, 도라지 등 대부분의 채소 **주의** 파프리카는 첫 돌 무렵부터, 토마토는 돌 이후에 먹인다.	가능 멜론, 참외, 살구, 포도 즙, 귤 즙 **주의** 신맛이 나는 과일은 첫 돌 무렵부터 먹인다.
완료기	가능 팥, 율무 등 대부분의 곡류 **주의** 혼합 잡곡은 24개월 이후에 먹인다.	가능 쑥, 치커리, 깻잎, 냉이, 고사리, 토마토, 부추, 토란	가능 홍시, 복숭아, 딸기, 토마토, 키위, 망고, 오렌지, 파인애플 등 대부분의 과일 **주의** 알레르기가 있는 경우 딸기, 토마토, 복숭아는 두 돌 이후에 먹인다.

	유제품	난류	콩류
초기	가능 없음. **주의** 우유는 돌 이후에 먹인다.	가능 없음.	가능 완두콩
중기	가능 없음.	가능 노른자(완전히 익힌다.) **주의** 흰자는 알레르기를 유발할 수 있으므로 먹이지 않는다. 알레르기가 있는 경우 노른자도 두 돌 이후에 먹인다.	가능 두부류, 대두, 강낭콩, 검은콩, 밤콩 등 대부분의 콩류 **주의** 두부, 두유는 7개월 이후에 가능하나 설탕, 과당, 소금, 첨가물을 확인하고 GMO 프리 제품인지 확인한다.
후기	가능 설탕이 들어있지 않은 플레인 요구르트, 아기용 치즈 **주의** 구입 시 염분, 설탕, 과당, 식품 첨가물을 확인. 알레르기인 경우 돌 이후에 먹인다. 액상 요구르트는 먹이지 않는다.	가능 노른자(완전히 익힌다.) **주의** 흰자는 알레르기를 유발할 수 있으므로 돌 이후에 먹인다.	가능 대부분의 콩류
완료기	가능 우유, 버터, 생크림, 크림치즈 **주의** 우유는 모유나 분유 수유가 끝난 후 먹인다. 구입 시 설탕, 과당, 염분의 양, 식품 첨가물을 확인. 액상 요구르트는 먹이지 않는다.	가능 흰자, 노른자 모두 가능 **주의** 알레르기가 있는 경우 달걀은 두 돌 이후에 먹인다.	가능 대부분의 콩류 가능, 유부 **주의** 유부는 뜨거운 물에 한번 데쳐 기름기를 제거한 후 먹인다.

초기에는 먹여도 되는 음식과 주의해야 할 음식을 철저하게 지키는 게 좋아요. 알레르기에 비교적 안전한 재료라도 아기에 따라서 알레르기를 일으킬 수 있으니 새로운 음식을 먹일 때는 어떤 음식에 민감한 반응을 보이는지 알기 위해 하나씩 첨가해서 먹이는 게 좋습니다. 중기 후반부터 후기, 완료기로 넘어가면 먹여도 되는 음식과 주의해야 할 음식들의 경계가 아기에 따라 많이 달라집니다. 먹고 괜찮다면 안심이지만 알레르기를 일으킬 수 있으니 재료 선택은 안전하고 보수적으로 하세요.

	육류	어패류	견과류
초기	**가능** 만 6개월부터 쇠고기, 닭고기 **주의** 쇠고기 안심, 닭 안심, 닭 가슴살을 사용한다.	**가능** 없음. **주의** 절대 먹이면 안 됨.	**가능** 없음.
중기	**가능** 쇠고기, 닭고기, 쇠고기 육수, 닭고기 육수 **주의** 쇠고기 육수용은 양지머리, 사태. 닭고기 육수용은 닭다리를 사용한다.	**가능** 없음. **주의** 잘못 먹이면 알레르기를 유발한다.	**가능** 대추, 건포도(7개월 이후)
후기	**가능** 쇠고기, 닭고기 **주의** 기름기를 제거한다.	**가능** 대구, 가자미, 병어, 동태, 갈치 등 흰살 생선, 멸치(잔멸치는 갈아서) **주의** 소금 뿌린 생선은 금지, 새우, 조갯살, 전복 등은 알레르기 없으면 사용 가능하나 돌 가까이에 먹이는 것이 좋다.	**가능** 깨, 밤, 참기름, 포도씨유, 올리브유 소량 사용 가능. **주의** 땅콩 및 견과류는 먹지 않도록 주의. 콩기름으로 된 식용유는 GMO 프리를 확인하고 되도록이면 사용하지 않는 것이 좋다.
완료기	**가능** 돼지고기 등 대부분의 육류 **주의** 기름기 많은 부위는 피할 것.	**가능** 등푸른생선, 장어, 낙지, 오징어, 게살, 새우, 조개류, 굴 등 어패류는 대부분 가능. 멸치육수 **주의** 알레르기가 있는 경우 새우, 게, 등푸른 생선 등은 되도록이면 나중에 먹인다.	**가능** 대부분의 견과류 및 유지류 **주의** 땅콩은 알레르기를 유발할 우려가 있으므로 되도록 나중에 먹인다.

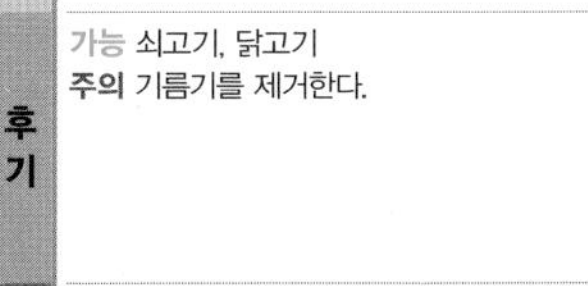

	해조류	면류	기타 식품
초기	**가능** 없음. **주의** 다시마 물로 이유식을 만들면 안 된다. 초기 이유식은 생수로만 만들어야 한다.	**가능** 없음.	**가능** 없음.
중기	**가능** 다시마(육수용), 김, 미역(중기 후반) 다시마 육수는 염분이 있으므로 많이 사용하지 않는다. 김은 조미되지 않은 생김을 중기 후반부터 구워 먹인다.	**가능** 없음.	**가능** 뻥튀기, 쌀과자, 아기용 과자, 핑거푸드, 과일 주스 **주의** 설탕, 과당, 소금, 식품첨가물의 함유 여부를 확인하고 먹인다. 과일주스는 집에서 직접 생과일로 만들어 먹인다.
후기	**가능** 미역, 다시마, 김, 파래 **주의** 파래는 짠맛을 주의한다.	**가능** 소면, 파스타, 쌀국수 **주의** 어른들이 먹는 것보다 많이 무르게 푹 삶는다. 밀가루 음식은 되도록 먹이지 않는다. 유기농 제품이나 우리 밀 제품을 사용한다.	**가능** 떡, 식빵, 아가베시럽 **주의** 떡은 백설기 등을 아주 작게 잘라서 먹인다. 찰떡은 목에 걸릴 수 있으므로 두 돌 이후에 먹인다. 식빵은 작게 잘라 구워서 먹인다. 이 때 설탕, 달걀 등을 주의한다.
완료기	**가능** 대부분의 해조류	**가능** 우동 등 대부분의 면류 **주의** 알레르기가 있는 경우 밀가루가 들어간 면류는 되도록 나중에 먹인다.	**가능** 꿀, 과일, 채소를 건조시켜 만든 과자, 과일 주스 **주의** 꿀은 돌 전에 먹이지 않는다. 과일주스는 첨가물과 과당이 들어 있지 않은것으로 먹인다. 시판소스는 사용하지 않는다.

많은 엄마들이 아기가 돌 무렵이 되면 음식이나 식재료에 대해서 많이 느슨해집니다. 시판 과자나 시판 음료, 사탕, 빵류, 햄 등의 육가공식품, 냉동 식품, 인스턴트 식품 등은 어른에게도 그다지 좋지않은 음식입니다. 그 외 각종 가공식품 역시 합성첨가물이 많이 들어 있어요. 되도록이면 제철에 난 천연 재료로 만든 음식을 먹이세요. 아기에게 사먹이는 음식은 제품 뒷면에 적혀 있는 식품의 성분을 읽어보고 내가 무엇을 먹이고 있는지 꼭 확인하세요.

이유식 재료 손질 & 보관법

고기·생선

고기는 기름기를 제거하고 생선은 내장을 제거해 깨끗이 손질한 후 필요한 양만큼 잘라 냉동 보관하세요. 종이호일로 감싼 다음 쿠킹호일로 싸서 빛과 공기로부터 한 번 더 차단해주세요. 종이호일이 없다면 랩으로 감싸도 됩니다. 대신 친환경 랩을 사용하는 것이 좋아요. 지퍼팩이나 용기에 넣어 보관하고 날짜를 적어둡니다. 소량씩 구입해서 되도록이면 일주일 안에 사용하세요. 냉동실에 오래 넣어 둔 재료는 맛이 없습니다.

해동할 때는 냉장고에서 해동 후 물에 담가 핏물을 제거하는 방법이 가장 맛있는 재료 손질법입니다. 찬물에 담가 핏물을 빼면서 해동하면 빠르게 할 수 있습니다. 다져서 얼린 고기를 물에 담그면 육즙까지 빠져나오므로 덩어리째 얼립니다. 한 번 해동한 재료는 다시 냉동 보관하지 마시고 냉장 보관하세요.

과일

사과는 다른 과일과 같이 보관하면 다른 과일을 빨리 익게 하고 무르게 하므로 따로 보관하세요. 귤은 깨끗이 씻은 후 속껍질까지 벗겨내고 과육만 주세요.

육수

육수는 끓여서 식힌 다음 굳은 기름을 걷어내고 한 끼 분량만큼 덜어서 냉동 보관하세요. 냉동 보관이라도 일주일 안에는 먹이세요. 식힌 육수는 입구가 넓은 통에 담아 보관하거나 모유 저장팩, 친환경 지퍼백 등에 넣어 겉면에 날짜를 적어서 보관하면 편리합니다.

외출·여행 시 이유식

외출이나 여행갈 때 이유식을 어떻게 해야 할지 많이 고민이 됩니다. 외출 시에는 휴대용 보온밥통이나 보온병에 이유식을 넣어가면 바로 먹일 수 있어 편리해요. 부피가 부담되면 작은 유리병에 담으면 좋아요. 이때 작은 보온·보냉 가방에 넣어가는 것이 좋습니다. 작은 유리병에 담았을 때는 식당 등에서 뜨거운 물에 담가 중탕하거나, 전자레인지에 데워 달라고 부탁하세요. 5~6일 이내의 여행 시에는 여행가기 전날 혹은 당일 여행 기간에 맞춰서 미리 이유식을 만드세요. 배달이유식의 경우 미리 날짜에 맞춰서 주문하세요. 아이스박스나 보온·보냉 가방에 이유식과 아이스 팩을 넣고, 여행지에 도착하자마자 냉동실에 넣어서 보관한 후 때에 맞춰서 데워 먹이세요. 여행지에서 이동이 많을 때는 오전에 냉동실에서 꺼낸 이유식을 작은 보온·보냉가방에 넣어두면 이동 중 해동되어서 식당 등에서 바로 데워 먹일 수 있습니다. 장시간 이동할 때에는 보온·보냉가방 안에 작은 아이스 팩을 함께 넣으면 변질의 우려가 없습니다. 시판 레토르트 이유식 등을 준비해갈 경우 여행 전 아기에게 미리 먹여보고 알레르기 반응 등을 체크한 후 가져가세요.

진 밥 쉽게 만들기

이유식 후반에 들어서면 가족들이 진 밥을 먹어야 하는 일이 생기게 마련이죠. 아이 밥을 따로 하기는 힘들고 가족들 밥에 아기를 맞추자니 아기가 먹기 힘들 것 같고…. 그럴 때는 밥을 지을 때 쌀의 높이를 달리해서 경사지게 밥을 지으면 한 쪽은 진밥, 다른 한 쪽은 보통 밥을 지을 수 있어요.

채소

잎과 줄기에 상처가 없는 싱싱한 것을 고르세요. 물기가 닿으면 쉽게 물러지니 필요한 만큼만 씻어서 사용합니다. 당근과 시금치는 구입 후 바로 사용하세요. 채소는 삶거나 데친 다음 아기의 개월 수에 맞는 크기로 손질해 익힌 것을 한 끼 분량씩 나눠서 냉동 보관합니다. 냉동 보관할 때는 꼭 뚜껑을 닫아서 보관하세요. 종이호일이나 랩으로 싼 다음 날짜를 적어서 냉동 보관하거나, 정리를 원한다면 작은 통이나 뚜껑이 달린 아이스큐브에 재료를 담아서 냉동 보관해도 됩니다. 아이스큐브에 보관할 경우 재료를 다 얼린 다음 재료의 종류별로 다른 통에 옮겨 담아서 보관하는 게 더욱 위생적입니다. 얼린 재료들은 별도의 해동 과정 없이 이유식을 끓일 때 그대로 넣어서 만들면 됩니다. 재료들은 되도록이면 5~7일 안에 사용하세요. 밥으로 이유식을 만드는 경우에도 한 끼 분량씩 따로 냉동 보관하면 되지만, 맛이 떨어진다는 점은 감안하세요.

직장맘 혹은 바쁜 엄마의 이유식

아기를 돌보는 것도 힘든데, 이유식 시기가 되면 할 일이 많아져서 더 힘듭니다. 하지만 일주일에 1~2일 정도는 금방 만든 이유식을 먹이세요. 주말이나 공휴일을 이용해 일주일 분량의 이유식을 미리 만들어 둡니다. 이유식은 보관 용기 겉면에 날짜와 이유식 이름을 적은 다음 바로 냉동실에 넣으세요. 채소와 고기를 한 끼 분량씩 손질해서 얼려 둔 다음, 쌀이나 밥과 함께 끓이는 것도 간단한 방법입니다. 하지만 같은 재료로 너무 많이 만들지는 마세요. 고형식을 연습하는 기간이기도 하지만 맛을 느끼고 배워가는 기간이기도 합니다. 배달 이유식을 이용하는 경우에는 쌀에 비해 고기와 채소의 섭취가 부족할 수도 있으니 고기, 채소의 섭취에 조금 더 신경쓰세요.

제철 이유식 재료

제철음식이 보약이라는 말이 있지요. 이유식을 만들 때 제철에 나는 음식이 무엇인지 체크해서 그 재료를 사용해 만들면 맛도 좋고 영양도 더 풍부한 이유식을 만들 수 있어요.

*금어기에는 해당 해산물이 비싸므로 금어기를 피해서 사는 것이 좋습니다.

	채소	과일	해산물
1월	브로콜리, 연근, 우엉, 콩나물, 숙주, 시금치, 고구마, 늙은 호박, 당근, 무, 두부, 콩비지	**제철 과일** 딸기 **저장 과일** 사과, 배, 단감, 참다래, 감귤, 레몬	갈치, 명태, 고등어, 동태, 광어, 가자미, 삼치, 새우, 낙지, 대구, 김, 물미역, 홍합, 굴, 병어 **금어기** 대구
2월	냉이, 달래, 당근, 미나리, 쑥, 무, 봄동, 시금치, 양파, 우엉, 콩나물, 브로콜리	**제철 과일** 딸기 **저장 과일** 사과, 배, 귤, 레몬, 참다래	명태, 고등어, 광어, 가자미, 삼치, 새우, 낙지, 대구, 김, 물미역, 홍합, 굴, 전복, 파래, 병어
3월	마늘종, 매실, 브로콜리, 봄동, 열무, 우엉, 냉이, 머위순, 버섯, 쪽파, 더덕, 부추	**제철 과일** 딸기, 토마토 **저장 과일** 사과	조기, 가자미, 쭈꾸미, 도미, 꼬막, 모시조개, 물미역, 바지락, 톳, 피조개, 도미, 암꽃게, 굴, 병어
4월	고사리, 머위, 상추, 봄동, 부추, 아스파라거스, 양상추, 양파, 완두콩, 양배추	**제철 과일** 참외, 토마토 **저장 과일** 사과	도미, 전복, 암꽃게, 참조기 **금어기** 갈치, 고등어
5월	고구마순, 부추, 미나리, 상추, 아욱, 양파, 봄동, 완두, 죽순, 파, 양배추, 오이, 애호박	**제철 과일** 딸기, 매실, 앵두, 자두, 참외, 수박	고등어, 암꽃게, 멸치, 오징어, 잔새우, 참치, 생꽁치, 병어, 전복 **금어기** 갈치, 고등어
6월	감자, 근대, 부추, 샐러리, 시금치, 양배추, 양파, 오이, 애호박, 토마토, 양배추, 깻잎, 아욱, 옥수수, 콩	**제철 과일** 살구, 참외, 토마토, 자두, 복숭아, 포도, 수박	병어, 전갱이, 오징어, 전복, 참조기, 광어 **금어기** 갈치, 꽃게
7월	가지, 감자, 아욱, 깻잎, 부추, 양파, 브로콜리, 애호박, 양상추, 열무, 근대, 오이, 피망, 옥수수, 콩	**제철 과일** 딸기, 산딸기, 멜론, 복숭아, 수박, 아보카도, 자두, 참외, 포도	갑오징어, 농어, 장어, 오징어, 광어, 갈치 **금어기** 꽃게
8월	가지, 감자, 아욱, 강낭콩, 고구마순, 브로콜리, 양배추, 오이, 옥수수, 근대, 애호박, 깻잎, 양파, 콩, 고구마, 도라지	**제철 과일** 멜론, 복숭아, 수박, 포도	갈치, 오징어, 전복 **금어기** 꽃게
9월	감자, 고구마, 느타리버섯, 아욱, 오이, 깻잎, 도라지, 순무, 당근, 늙은 호박, 시금치, 부추	**제철 과일** 대추, 포도, 무화과, 호두, 토마토	갈치, 숫꽃게, 새우(중하), 오징어, 참조기, 전어, 연어, 장어, 광어, 굴
10월	고구마, 느타리버섯, 늙은 호박, 당근, 도토리, 무, 송이버섯, 순무, 양송이버섯, 팥, 도라지, 시금치, 쪽파, 부추	**제철 과일** 대추, 모과, 밤, 사과, 석류, 오미자, 유자, 은행, 잣 **저장 과일** 단감	숫꽃게, 갈치, 삼치, 가자미, 굴, 고등어, 꽁치, 낙지, 대하, 대합, 병어, 홍합, 연어, 장어, 광어, 굴
11월	늙은 호박, 당근, 무, 배추, 시금치, 연근, 우엉, 시금치, 쪽파, 부추, 콩나물, 숙주	**제철 과일** 감, 귤, 대추, 모과, 배, 사과, 오미자, 유자, 키위 **저장 과일** 사과, 배, 단감, 감귤	갈치, 삼치, 고등어, 대구, 명태, 대구, 새우(대하), 대합, 문어, 병어, 연어, 오징어, 옥돔, 참치, 굴, 광어
12월	무, 배추, 브로콜리, 연근, 콜리플라워, 당근, 늙은 호박, 시금치, 콩나물, 숙주	**제철 과일** 딸기, 귤, 대추, 바나나 **저장 과일** 사과, 배, 단감, 참다래, 감귤	갈치, 삼치, 고등어, 대구, 명태, 가자미, 문어, 굴, 광어, 대하, 병어, 동태, 낙지, 김, 생미역

이유식 재료의 시기별 크기와 농도

이유식을 처음 먹일 때는 아주 묽은 미음부터 시작해서 조금씩 묽기를 줄여가세요. 처음에는 간 다음 체에 한 번 더 내리는 과정을 거치지만 아기가 미음 먹는 것에 익숙해지면 아주 작고 부드럽게 익힌, 덩어리가 들어간 이유식을 먹입니다. 모든 아기들이 똑같이 묽은 쌀미음부터 시작하지만 묽기나 덩어리의 크기, 먹는 양은 천차만별입니다. 아기의 개월 수에 연연하지 마시고 아기가 받아들이는 정도에 따라 엄마가 융통성 있게 이유식을 만들어 주세요.

	쌀	애호박	양배추	감자&고구마	브로콜리
초기	주르륵 흘러내리는 묽은 수프 정도의 묽기	껍질을 제거하고 삶아 체에 내려 알갱이가 없는 수프 형태	잎부분만 삶아서 체에 내리거나 믹서에 갈아서 알갱이가 없는 상태	삶아서 고운 체에 내린다.	꽃부분만 삶아서 체에 내리거나 믹서에 곱게 간다.
중기	덩어리가 아주 조금 있고 뚝뚝 떨어지는 정도의 묽기	0.3㎝로 곱게 다진다. 절구로 으깨 형태가 조금 남아있는 상태	0.3㎝로 곱게 다진다. 흐물흐물한 상태	0.3㎝로 곱게 다져 절구에 한두 번 으깬 상태	꽃부분만 0.3㎝로 곱게 다진 후 절구에 한번 으깬 상태
후기	밥알의 형태가 보이면서 숟가락과 잇몸으로 으깰 수 있는 죽 정도의 묽기	0.5㎝로 다진다. 덩어리가 있으나 부드러워서 쉽게 으깨지는 상태	0.5㎝로 다진다. 이와 잇몸으로 으깨지는 상태	0.5㎝로 다진다. 쉽게 으깨지는 상태	0.5㎝로 다진다. 이나 잇몸으로 쉽게 으깨지는 상태
완료기	물기가 많은 진밥	0.7~1㎝로 다진다. 부드러운 상태	0.7~1㎝로 다진다. 부드러운 상태	덩어리를 잡고 이로 잘라먹을 수 있는 상태	0.7~1㎝로 다진다. 부드럽게 익힌 상태로 줄기까지 사용한다.

	시금치	고기	흰살 생선	당근	달걀
초기	잎부분만 삶아서 체에 내린다.	삶은 후 다져서 체에 내리거나 믹서에 곱게 간 고기 국물상태	먹이지 않는다.	먹이지 않는다.	먹이지 않는다.
중기	잎 부분만 삶아서 절구에 으깨거나 다진 후 절구로 한두 번 으깬 상태	0.3㎝로 다진 후 절구에 넣고 한두 번 으깨거나 더 곱게 다진 상태	삶은 후 살만 발라내어 0.3㎝로 곱게 다지거나 절구에 으깬 상태	0.3㎝로 곱게 다져 절구에 한두 번 으깬 상태	완숙으로 삶아서 노른자만 체에 내린 상태
후기	0.5㎝로 다진다. 아기에 따라 줄기도 사용한다.	0.3~0.5㎝로 다져 덩어리를 느낄 수 있는 상태	0.5㎝ 크기로 다지거나 뭉쳐서 완자를 만든다.	0.5m로 잘라 잇몸이나 숟가락으로 쉽게 으깨지는 상태	노른자만 풀어서 사용하거나 완숙 노른자를 약간 덩어리지게 으깬 상태
완료기	0.7~1㎝로 다진다. 어른들이 먹는 나물보다는 부드럽게 익힌 상태	0.5㎝ 크기로 다져 이로 씹을 수 있는 상태	한입 크기로 자르거나 살만 발라서 그냥 먹을 수 있는 상태	0.7~1㎝로 다져 이로 쉽게 으깨지는 상태	흰자, 노른자 모두 사용한다.

꼭 기억하고 있어야 하는 이유식 조리 원칙

이유식 조리 도구는 아기용으로 따로 준비하세요

어른들이 사용하던 조리 도구를 그대로 사용하지 마세요. 아기들은 면역력이 약하기 때문에 외부 감염으로부터 자신을 지키는 힘이 부족합니다. 어른들이 사용한 도구들은 고춧가루나 마늘, 된장 등의 향신 재료들의 냄새가 배어 있어서 아이의 식욕을 떨어뜨릴 뿐 아니라 아기가 아플 수 있습니다. 식기류도 아기용으로 따로 준비하고 플라스틱 제품 등의 환경호르몬 위험이 있는 제품은 사용하지 마세요. 스테인리스나 도자기로 된 이유식기를 사용하세요.

도마와 칼은 고기·생선용, 채소·과일용으로 따로 준비하세요

어른들도 고기·생선용과 채소·과일용 도마는 따로 사용하는 게 좋습니다. 날생선이나 날고기를 자른 도마와 칼은 기생충이나 병균에 감염될 위험이 있으므로 조심해야 합니다. 같이 사용할 경우에는 종이호일을 이용하거나 날고기나 날생선을 자른 다음 세제로 깨끗하게 씻어내고 끓는 물을 부어 소독해주세요. 도마는 특히 세균 번식의 우려가 있으므로 씻은 후 햇볕에 자주 말리는 게 좋습니다.

남은 이유식 재료는 손질해서 냉동 보관하세요

제철에 난 신선한 재료로 이유식을 만드는 것이 가장 좋지만 재료가 남았다면 편리한 보관을 위해 재료를 삶거나 데쳐서 이유식 시기에 따라 적당한 크기로 다진 다음, 한 번 만들 분량 만큼 나눠서 냉동실에 보관하세요. 냉동실에서는 5일, 냉장실에서는 2일 정도 보관이 가능합니다. 단, 너무 오래 두고 먹이지 마세요.

해동한 재료는 바로 사용하고 남은 재료는 다시 얼리지 마세요

냉동실에서 꺼낸 재료는 해동된 상태로 2일 정도 냉장 보관 가능합니다. 되도록이면 해동 후 바로 조리하고 바로 조리하기 힘든 상황이면 냉장고에서 해동시키세요. 한번 해동된 재료는 맛도 떨어지고 미생물 감염의 우려가 있으므로 다시 냉동하지 마세요.

맛 본 숟가락은 다시 사용하지 마세요

이유식을 만들다 보면 이유식 재료의 품종, 수분 정도에 따라서 만드는 시간이나 쌀이 퍼지는 시간이 달라질 수 밖에 없습니다. 그래서 이유식이 다 만들어졌는지 확인하기 위해 맛을 보게 되는데, 이때 어른 입에 들어간 숟가락이나 주걱 등은 다시 이유식에 넣으면 안 됩니다. 이유식이 쉽게 상하는 원인이 될 뿐만 아니라 면역력이 약한 아기가 질병에 걸릴 위험이 생길 수도 있습니다. 어른 입에 한 번 들어간 숟가락이나 음식으로 이유식을 먹일 경우 충치균이 옮아 이가 썩을 수도 있으니 주의해야 합니다.

이유식은 중탕으로 데우세요

냄비에 이유식 용기를 넣고 물을 용기의 반 정도 깊이까지 부은 다음 물을 끓이면서 중탕으로 이유식을 데우세요. 물을 너무 많이 부어 이유식에 물이 들어가는 일이 생기지 않게 주의해야 합니다. 전자레인지는 음식의 수분에 열을 가해서 가열하는 방식으로, 이유식에 포함되어 있는 수분에 높은 열이 가해지고 이 과정에서 음식의 영양소가 파괴되거나 수분이 없어지기도 합니다. 이유식을 데울 때는 도자기나 유리로 된 이유식기를 사용해야 환경호르몬의 위험으로부터 안전합니다. 아기에게 먹이기 전, 골고루 한번 섞고 너무 뜨겁지는 않은지 확인하고 먹이세요.

이유식은 뚜껑을 덮어서 냉장 보관하세요 2일 이내에 먹이지 못하는 이유식은 냉동 보관하세요

이유식은 절대 실온에 보관하지 마세요. 간을 하지 않았기 때문에 어른들의 음식보다 더 잘 상합니다. 뚜껑을 덮어 냉장이나 냉동 보관하세요. 먹던 이유식을 다시 먹이지도 마세요. 아이들은 면역력이 약하므로 위생에 특히 주의해야 합니다. 먹던 이유식을 다시 보관하고 싶다면 한번 가열한 다음 냉장 보관하세요. 한 번에 많은 분량의 이유식을 만들어 2일 안에 먹이지 못할 경우 만들자마자 이유식 용기에 담아 냉동 보관하세요. 냉동 보관할 때 이유식의 이름과 날짜를 적어서 보관하면 편해요. 냉동실에서는 5~7일, 냉장실에서는 2일 이내로 보관이 가능합니다.

이유식기와 조리 도구는 어른들의 식기류와 분리해서 친환경 세제로 씻고 잔여 세제가 남지 않게 깨끗하게 헹구세요

이유식기를 세척할 때는 어른 그릇과 분리해서 세척하거나 어른들이 사용한 조리도구를 세척하기 전 먼저 세척하세요. 씻은 그릇도 어른들 식기류와 분리해서 건조, 보관하세요. 싱크대 한 칸을 깨끗이 정리하고 소독한 다음 아기용으로 사용하면 좋아요. 아기가 사용하는 그릇과 도구는 친환경 세제로 세척하세요. '젖병 전용 세제는 괜찮지 않을까?' 라고 막연히 생각하지 말고 성분을 꼭 확인해야 합니다. 화학성분이나 화학계 계면활성제가 들어 있지 않은지 먼저 확인해야 합니다. 친환경 세제라 해도 여러 번 헹궈 잔여세제가 남지 않게 신경쓰세요. 이유식기나 조리 도구는 굳이 열탕소독할 필요는 없으며 열탕소독을 하고 싶더라도 플라스틱으로 된 제품은 열탕소독이 환경호르몬 검출을 불러일으켜 더 나쁘다는 것을 기억하세요.

이유식 준비물

편리한 이유식 조리 도구가 있으면 이유식 만드는 일이 훨씬 수월합니다. 꼭 필요한 몇 가지만을 구입하셔도 괜찮아요. 엄마가 즐겁게 만들어야 맛있는 음식이 되고 아기도 행복해진다는 사실을 잊지 마세요.

이유식 조리기(강판, 체, 절구, 즙짜개)
조리기를 세트로 구입해도 되고 낱개로 하나씩 따로 구입해도 상관없습니다. 도자기로 된 제품이나 스테인리스 재질을 추천합니다.

컵
아기에게 먹이는 물이나 음료, 주스 등은 컵에 먹여야 합니다. 양손으로 잡을 수 있는 손잡이가 있는 컵이 편리합니다. 스파우트형, 컵형, 빨대형 등이 있는데, 잘 깨지지 않는 플라스틱 소재로 된 제품을 사용하되 성분을 확인하고 사용하세요. 플라스틱 제품에는 뜨거운 물은 담지 마세요.

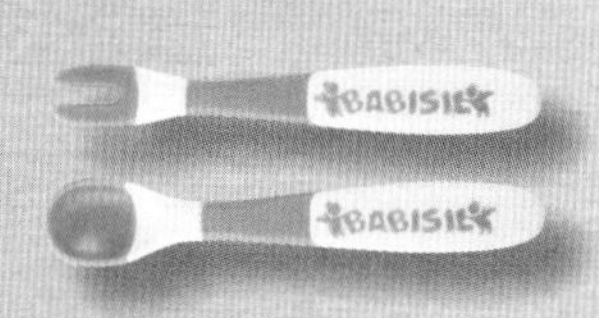

이유식 숟가락
깊이가 깊지 않으며 아기 입에 쏙 들어가는 작은 사이즈로 고르세요. 하나만 사서 계속 사용할 수는 없습니다. 처음에는 작은 숟가락으로 시작해서 점점 큰 숟가락을 사용합니다. 아기들은 숟가락을 씹기도 하므로 숟가락 부분이 실리콘으로 된 숟가락이나 부드러운 재질로 된 숟가락을 사용하세요. 플라스틱 소재로 된 숟가락을 사용할 때는 성분을 꼭 확인하세요. 스테인리스로 된 숟가락은 잇몸을 다칠 우려가 있으므로 숟가락을 더 이상 씹지 않을 때 사용하세요.

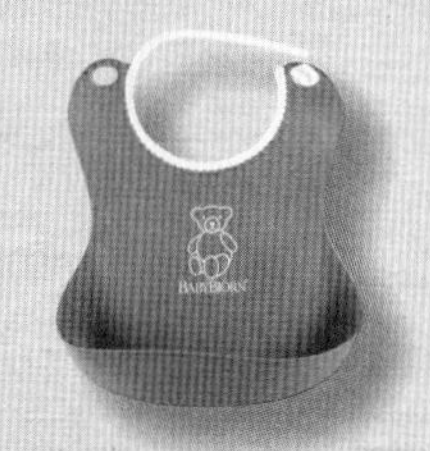

아기 턱받이
처음에는 가제수건 등을 목에 둘러서 사용하면 됩니다. 하지만 아기가 조금 더 커 숟가락에 호기심을 보이면서 혼자 먹겠다고 하기 시작하면 가제수건으로는 역부족이므로 턱받이가 필요합니다. 천으로 된 제품은 씻어 말리기가 쉽지 않으므로 부드러운 재질로 된 고무나 플라스틱, 실리콘 제품을 구입하세요. 고무로 된 재질은 잘 말리지 않으면 곰팡이가 생기니 주의하세요. 목에 너무 끼지 않으면서 무겁지 않고 편안한 재질로 된 제품으로 구입하세요.

이유식 보관용기
유리로 된 밀폐용기가 좋아요. 시판되고 있는 유리 밀폐용기를 구입하시거나 유리병에 든 이유식을 사셔서 내용물은 처분하시고 통을 재활용하시는 것도 좋습니다. 급격한 온도 변화에서는 깨질 위험이 있으니 조심하셔야 해요. 플라스틱 용기는 되도록이면 사용하지 마시고 만일 사용하신다면 음식을 완전히 식힌 다음 담으세요.

이유식기
이유식기는 스테인리스 재질로 된 제품이나 도자기로 된 제품을 사용하세요. 스테인리스는 열전도율이 높아 위험하므로 겉이 플라스틱으로 된 제품을 사용하면 안전합니다. 플라스틱 제품을 사용할 때는 성분을 확인하고 뜨거운 음식은 되도록이면 담지 않는 게 좋습니다.

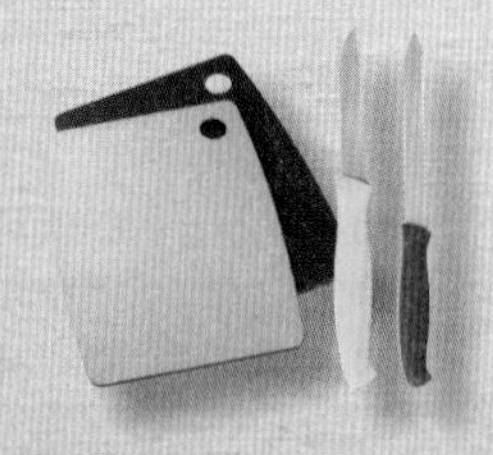

도마와 칼
도마와 칼은 이유식용으로 따로 준비하세요. 채소·과일용과 고기·생선용을 분리해서 사용하면 좋아요. 도마는 세균 번식의 우려가 아주 많으므로 친환경 세제로 잘 세척하고 잔여세제가 남지 않게 헹군 후, 뜨거운 물을 부어서 살균하고 일주일에 한 번 정도 햇볕에 말려주세요.

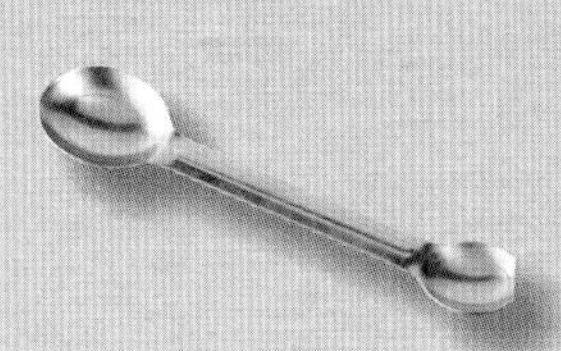

계량스푼

계량스푼이 없다면 어른용 밥숟가락으로도 측정이 가능하지만 하나쯤 가지고 있으면 유용합니다. 양쪽으로 큰술, 작은술을 잴 수 있는 제품은 가운데 손잡이 부분에 눈금자가 있어서 길이를 잴 때 편리합니다.

계량컵

스테인리스 재질로 된 계량컵이 집에 하나쯤 있으면 편리합니다. 아이를 위한 베이킹을 할 때나 물량을 조절할 때 등 아주 요긴하게 사용됩니다.

저울

전자저울을 사용하면 편리해요. 요즘은 저렴한 가격대의 전자 저울도 많이 나와 있어서 부담이 적어요. 나중에 빵을 만들 때도 요긴하게 사용 가능합니다.

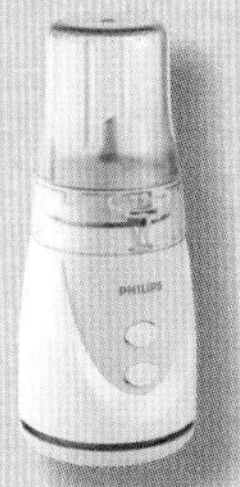

미니 믹서

초기, 중기, 길게는 후기까지 쌀을 갈 때 사용합니다. 적은 양도 잘 갈리므로 사용하기 편리하고 쌀알 크기 조절을 위해 이유식 만들 때는 필수 제품입니다. 믹서가 없는 경우 절구로 불린 쌀을 으깨기도 하는데, 번거롭고 손도 많이 갑니다. 집에 이미 미니 믹서가 있다면 아기용으로 컵만 따로 주문하세요. 어른들이 사용하던 제품은 양념 등의 향이 스며 있어서 위생적이지 못합니다.

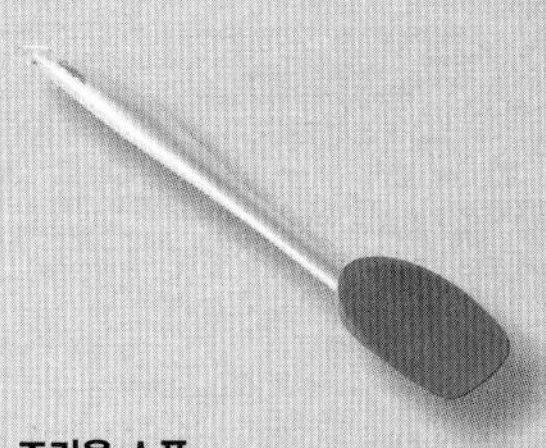

조리용 스푼

실리콘 재질로 된 스푼이 가장 좋습니다. 손잡이가 나무로 된 제품과 스틸로 된 제품 등이 있는데, 나무로 된 제품은 곰팡이가 생길 위험이 크므로 세척 후 잘 말려줘야 합니다. 나무스푼도 많이 사용되는데, 칠이 된 제품은 사용하지 마세요. 칠이 벗겨져 이유식에 섞인답니다. 나무스푼은 오래 사용하면 끝이 마모되면서 이유식에 섞일 우려가 있으므로 물에 강하고 좋은 나무로 만든 제품을 사용하세요.

냄비

이유식은 저으면서 만들어야 하므로 편수냄비가 좋습니다. 작은 사이즈로 사되 후반으로 갈수록 많은 양을 만들기 때문에 1ℓ 정도 크기의 냄비가, 육수를 낼 때는 2ℓ 정도 크기의 냄비가 적당합니다. 바닥이 두꺼운 스테인리스 냄비가 가장 안전하고 코팅된 냄비는 사용하지 않는 것이 좋습니다. 도자기 냄비나 뚝배기를 사용할 경우 세제로 세척하지 마세요. 세제를 빨아들이기 때문에 이유식을 끓일 때 세제가 스며들어요.

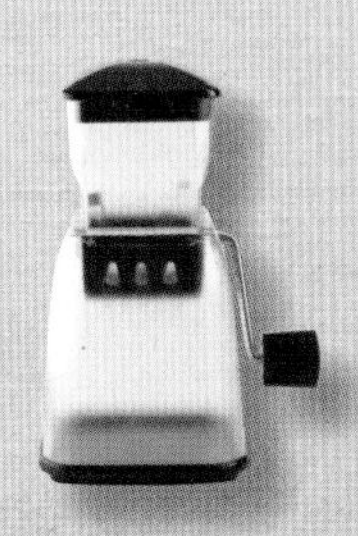

채소 다지기

이유식 재료 다질 때 큰 도움이 돼요. 아기 낳고 약해진 관절 때문에 칼질하기 힘든 분들이 사용하면 좋아요. 이유식을 한꺼번에 많이 만들 때도 사용하면 편해요. 이유식 시기가 끝난 후에도 볶음밥, 동그랑땡 등을 만들 때 요긴하게 사용 가능합니다.

요구르트 제조기

시판되는 플레인 요구르트는 첨가물이나 설탕 등이 들어 있는 경우가 대부분입니다. 집에서 직접 만들어 먹이는 게 좋은데, 돌 전까지는 플레인 요구르트로 먹이고, 돌 이후 단맛을 첨가하고 싶으면 아가베시럽이나 과일을 섞어주세요.

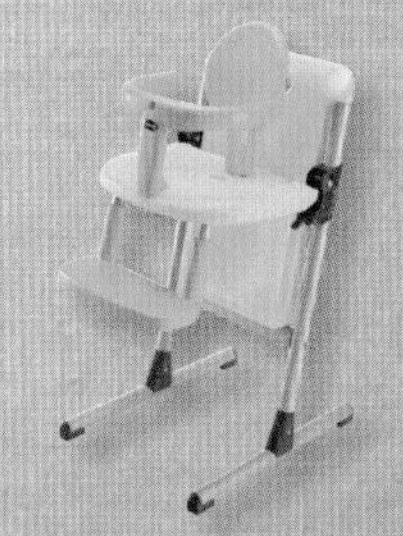

식탁 의자

식탁 의자를 고를 때는 아이가 떨어질 위험이 없도록 가드와 벨트가 있는 제품을 골라야 합니다. 부피가 크지 않고 높이 조절이 가능해 활용 기간이 길며, 제품이 견고하고 A/S가 잘 되어야 합니다. 식판 분리가 가능해 어른 식탁에서 함께 음식을 놓고 먹을 수 있는 제품을 구입하면 좋습니다.

이유식 조리의 기초

쌀죽에 들어가는 이유식 재료는 미리 삶은 다음 죽에 넣습니다. 그 이유는 익히지 않은 재료를 쌀죽에 넣고 끓이면 재료가 다 익을 때까지 죽을 끓이다가 쌀죽이 자칫 너무 되직해질 수 있기 때문입니다. 초기 이유식 이후에는 쌀알이 점점 커지기 때문에 쌀이 익는 시간도 오래 걸리므로 후반으로 갈수록 재료를 함께 넣고 끓이세요. 재료의 크기를 작게 해서 삶거나 데치는 경우 이유식 조리시간을 단축할 수 있습니다.

죽쑤기

쌀미음이나 죽은 밥으로 만드는 것보다 쌀로 끓이는 것이 더 맛있습니다. 쌀은 20분 이상 불리고 쌀을 불릴 시간이 없을 때는 물의 양을 조금 더 잡아주세요. 이유식 초기에는 체에 한 번 내리고 중기 이유식부터는 덩어리 있게 먹입니다.

쌀로 죽 만드는 법

01 쌀은 찬물에 씻어서 20분~1시간 정도 불린다.

02 믹서에 물을 넣고 이유식 시기에 따라 쌀알의 크기를 달리하여 간다. 후기나 완료기에 접어들면 거의 갈지 않는다.

03 냄비에 간 쌀과 분량의 물을 붓고 센 불에서 끓이다가 끓어오르면 약한 불로 줄여 쌀이 퍼질 때까지 계속 저어가면서 끓인다.

밥으로 죽 만드는 법

01 밥으로 죽을 만들 때는 물의 양을 조금 줄인다.

02 밥을 으깬 다음 물을 넣고 끓이거나 끓이면서 주걱이나 매셔로 으깨가면서 끓인다.

03 쌀로 끓이는 것보다 조리시간은 단축되나 맛이 덜하다.

삶기, 데치기

아기가 먹을 이유식 재료는 어른들 것보다 조금 더 무르게 삶아야 해요. 속까지 푹 익혀야 합니다.

뿌리채소

익히는 시간이 오래 걸리므로 작게 잘라서 삶는다. 통째로 찐 다음 필요한 분량만큼 덜어 쓴다. 감자는 찬물에 담가 녹말을 제거하고, 연근은 식촛물에 담가 떫은 맛을 없앤다.

잎채소

잎 부분만 끓는 물에 데친다. 후기 이후 줄기 부분도 사용할 경우 줄기 부분부터 넣어서 데친다.

고기

기름기를 제거하고 분량만큼 잘라서 속까지 익힌 다음 건져내서 다진다. 이 때 물에 뜨는 불순물은 숟가락이나 체로 제거한다.

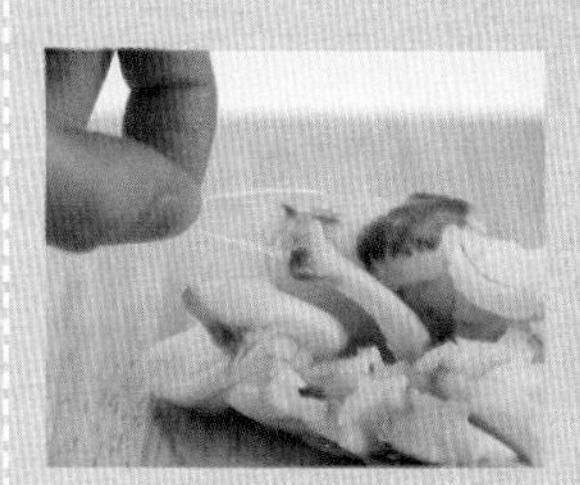

생선

생선을 통째로 찔 경우 속까지 익도록 푹 찐 다음 껍질과 가시를 제거한다. 포 뜬 생선을 데치는 경우, 끓는 물에 데치고 위로 뜨는 불순물을 제거한다. 생선에 가시가 남아있지 않도록 주의하며 손질한다.

갈기

믹서·분쇄기에 갈기

물기가 많은 재료를 갈거나 많은 양을 갈 때 편리하다. 감자, 당근, 호박, 사과, 바나나 등은 믹서에 갈았을 때 비타민이 쉽게 파괴되고 양파, 무, 토마토, 양배추, 귤 등은 믹서로 갈았을 때 비타민이 쉽게 파괴되지 않는다. 마른 표고버섯, 마른 새우, 다시마, 멸치 등 마른 재료를 곱게 갈아서 천연 조미료로 사용할 경우에도 사용한다.

강판에 갈기

과일, 감자, 고구마, 당근 등을 가는데 사용한다. 주로 초기에 사용되며 비타민의 파괴가 적은 조리법이다.

체에 내리기

주로 초기에 많이 사용한다. 아기가 잘 소화시키지 못하는 채소의 섬유질을 제거하기 위해서 내리기도 한다. 재료를 통째로 푹 익힌 다음 내린다. 스테인리스 숟가락으로 내리면 편하다.

즙짜기

즙짜개를 이용하면 귤, 오렌지 레몬 등의 감귤류의 즙을 짤 때 편리하다.

찌기

이유식은 되도록 직화로 굽지 말고 찌는 게 좋다.

껍질 벗기기

초기의 경우 오이, 애호박, 사과 등도 칼이나 필러로 껍질을 벗겨 조리한다. 토마토는 꼭지 반대쪽에 십자로 칼집을 낸 다음 뜨거운 물에 데치면 껍질이 잘 벗겨진다. 단호박은 필러로 껍질을 제거한다. 이 때 전자레인지에 20초 정도 익히면 껍질 부분만 익어서 벗기기 수월하다.

굽기

스테인리스 팬이 가장 안전하지만 초보가 쓰기에는 잘 눌어붙고, 기름의 양도 조절하기가 쉽지 않으므로 코팅이 잘 되어있는 팬을 사용한다. 기름 대신 물로 볶는 방법도 있다.

으깨기

포크, 숟가락, 절구, 주걱, 칼 등으로 으깨는 방법이 있다. 후기에는 이유식을 끓이면서 매셔나 주걱 등을 이용해 이유식 크기를 조절하기도 한다.

다지기

이유식 재료를 준비할 때 삶은 다음 다지는 방법과 다진 다음 삶는 2가지 방법이 있다. 체가 있는 경우에는 재료를 적당한 크기로 다진 다음 삶는 게 편하다. 아기마다 덩어리를 받아들이는 정도가 다르므로 개월 수에 맞게 재료의 크기를 정하는 것보다 아이에게 맞춰서 크기를 정하는 게 좋다.

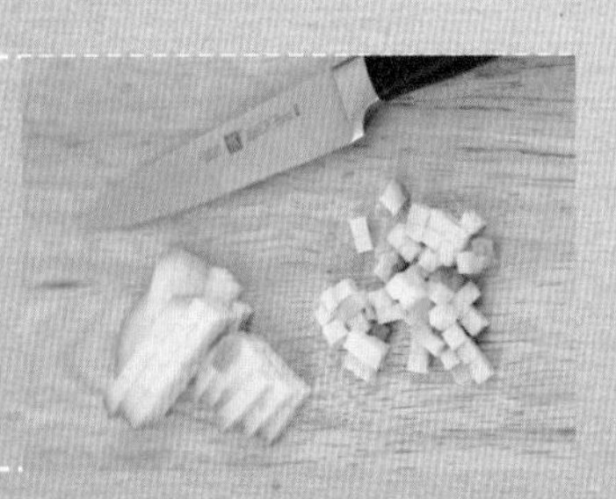

네이버 까페 마더스 자문 의사
문상훈 원장님께 묻는다!

엄마들이 가장 궁금해 하는 이유식 Q&A

Q 이유식을 하고 변이 달라졌어요.

A 이유식을 시작하면 변의 양상이 바뀝니다. 변 보는 횟수, 변의 색깔이 달라지거나(변비가 생기거나 설사를 하기도 합니다), 변 냄새가 심해지기도 합니다. 하지만 아기의 건강이나 상태가 좋다면 걱정할 필요는 없습니다. 새로운 음식에 자극을 받고 그에 대한 반응을 보이는 것입니다. 대부분 점점 적응해서 좋아집니다.

Q 고기는 언제부터 먹여야 할까요?

A 고기는 철분 보충을 위해 6개월부터 먹일 수 있습니다. 고기는 국물만 먹이지 말고, 고기 자체를 먹이세요. 기름기 없는 부분을 먹여야 하는데 초기에는 갈아서 먹이고 7개월쯤 되면 약간의 덩어리가 있는 것을 먹여야 합니다. 이가 나지 않았더라도 고기를 먹일 수 있습니다. 미리 갈아져 있는 고기보다는 살코기를 사서 힘줄과 질긴 부분을 제거한 후 손질하는 것이 좋습니다. 첫돌이 되면 하루에 40~50g 정도의 고기를 먹일 수 있고 두 돌에는 하루에 100g 정도의 고기를 먹일 수 있습니다.

Q 아기가 빈혈이 있는데, 철분이 많은 음식에는 어떤 것이 있나요?

A 철분 보충용으로는 고기와 채소가 좋습니다. 철분이 많은 음식으로는 소의 간, 굴, 대합, 새우, 쇠고기, 강낭콩, 껍질째 구운 감자. 말린 살구, 건포도, 닭고기, 달걀노른자, 자두, 참치, 딸기, 토마토, 브로콜리, 베이컨, 오렌지, 땅콩, 바나나, 사과 등이 있습니다. 단 월령에 맞게 먹이는 게 좋습니다.

Q 과일은 언제부터, 어떤 과일로 시작하는 게 좋을까요?

A 과일은 아기에게 필수 식품입니다. 과일에는 아기에게 필요한 섬유질과 여러 종류의 비타민이 풍부하게 들어 있습니다. 아기에게 과일 대신 영양제로 비타민을 대체하면 안됩니다. 이유식을 할 때 채소를 먹인 후 과일을 시작하는 게 좋습니다. 과일을 먼저 먹이면 과일의 단맛에 익숙해진 아기들이 채소를 잘 먹으려 하지 않기 때문에 일단 채소나 고기를 넣은 죽을 잘 먹으면 그 다음에 과일을 주는 게 좋습니다. 처음에 시작할 수 있는 과일은 사과, 배, 자두, 살구 등입니다. 귤이나 오렌지는 9개월 정도는 지난 다음 먹이는 게 좋고, 딸기와 토마토는 알레르기를 잘 일으키기 때문에 돌이 지나서 먹이는 것을 권장합니다. 과일은 4~6개월부터 갈거나 으깨서 주는 게 좋습니다.

Q 알레르기나 아토피가 있을 때는 이유식을 어떻게 하나요?

A 우유는 1세부터, 달걀은 2세부터, 견과류와 땅콩, 생선은 3세가 되었을 때 먹이기 시작합니다. 아토피성 알레르기가 있는 아이의 경우 6개월이 되면 이유식을 시작하는 게 좋습니다. 쌀부터 시작해 일주일 정도 지나면 채소, 과일 순으로 먹이세요. 7개월이 되기 전에 고기를 이유식에 섞어 먹이는 것은 바람직하지 않습니다. 두부, 요구르트, 밀가루, 옥수수, 귤, 레몬, 딸기, 토마토, 꿀은 첫돌이 지나서 먹이는 게 좋고 달걀, 초콜릿은 두 돌이 지나서 먹이는 게 좋습니다. 생선, 새우, 조개, 랍스터, 땅콩 같은 경우는 세 돌이 지나서 먹이기를 권장합니다.

Q 과일 주스는 언제부터 얼마나 먹여야 할까요?

A 과일은 4~6개월부터 먹일 수 있지만 과일 주스는 만 6개월 이전에는 먹이지 마세요. 여기에서 과일 주스란 엄마가 직접 과일을 통째로 강판에 갈아주는 것이 아니라 시중에 파는 주스를 말하는 것입니다. 보통의 엄마들은 주스라고 하면 귤이나 오렌지 주스를 먹이는데, 이런 감귤류 주스는 9개월 정도는 지나서 시작하는 것이 좋습니다. 과일 주스의 경우 6~7개월의 경우 하루에 50cc 정도, 돌까지는 하루에 120cc, 1~6세에는 하루에 120~180cc 정도 먹이는 게 좋습니다. 하지만 과일 주스를 많이 먹이게 되면 분유나 이유식을 잘 안 먹을 수 있습니다. 주스를 많이 먹어서 과당으로 인해 배는 부르고 칼로리는 될지 모르지만 영양상 균형을 제대로 이룰 수 없습니다.

Q 이유식은 언제 어떻게 먹여야 하나요?

A 하루에 한 번 먹이는 경우 오전 10시, 하루에 두 번 먹이는 경우 오전 10시와 저녁 6시, 하루에 세 번 먹는 경우 오전 10시, 오후 2시, 6시가 좋습니다. 가능하면 매일 일정한 시간과 같은 분위기에서 먹이는 게 좋습니다.

Q 아기가 혀로 음식을 자꾸 밀어내요.

A 아기는 입에 액체가 아닌 다른 것이 들어오면 혀를 내밀어 밖으로 내보내려고 합니다. 처음 이유식을 먹는 아기의 경우 이유식을 입에 넣으면 얼굴을 찡그리기도 하고 입을 오물거리기도 하고 혀로 내밀기도 합니다. 지금까지 우윳병으로 먹던 것과 다른 방법으로 음식을 먹는 것에 일시적으로 당황하거나 거부하기 마련입니다. 아기가 계속 먹겠다고 입을 벌리면 계속 먹이고, 싫어한다고 느껴지면 이유식을 잠시 쉬었다가 다시 시작하세요.

Q 시판 이유식을 먹여도 될까요?

A 보통 통조림으로 된 이유식은 권하지 않습니다. 이유식은 반드시 한 가지 재료부터 시작하는 것을 권장합니다. 재료를 첨가하는 것은 적어도 3~4일, 알레르기가 있는 아이의 경우 1~2주 정도의 간격을 두고 다른 종류의 재료를 첨가하는 게 좋습니다. 여러 가지 재료가 한꺼번에 섞인 시판 이유식의 경우 알레르기가 생겼을 때 원인을 모르는 경우가 많습니다. 또한 이유식은 맛을 익히는 것도 하나의 큰 목적이라는 것을 잊어서는 안 됩니다.

Q 이유식을 입 안에 물고 있어요.

A 이유식을 입에 물고 있다면 엄마가 이유식을 억지로 강요하거나 질긴 고기 같은 음식을 삼키지 못해서 그런 경우도 많습니다. 한입 가득 주는 경우도 흔히 그럴 수 있으니 유의하세요. 되도록 삼키도록 하고 안 되면 뱉도록 하세요.

Q 이유식을 너무 안 먹으려고 하는데 늦게 시작해도 될까요?

A 6개월이 되면 이유식을 시작하는 게 좋습니다. 너무 늦게 시작하면 덩어리가 있는 음식은 다 뱉어버리고 심지어는 분유 이외의 음식을 먹기만 하면 구역질을 하거나 토하는 경우도 있습니다. 이유식이 너무 늦어지면 숟가락이나 컵의 사용이 쉽지 않고 성장이 늦어질 수 있으며 액체 음식만 좋아하게 될 수 있습니다. 아기가 이유식을 먹으려 하지 않더라도 걱정하지 말고 아기가 편안한 상태에서 차근차근 시작할 수 있도록 도와주세요.

Q 돌 전에 절대 먹이면 안 되는 음식은 무엇이 있을까요?

A 우선 돌 전 아기의 경우 씹어 먹어야 하는 음식은 피하는 게 좋습니다. 또한 보통의 아기들의 경우 생우유, 달걀 흰자, 새우, 랍스터, 조개류, 참치 같이 큰 생선과 민물고기, 오렌지나 감귤류, 초콜릿, 딸기, 토마토, 밀가루, 꿀 등은 돌이 지나서 먹이는 것을 권장합니다.

Q 우유 대신 두유를 먹여도 될까요?

A 두유를 특별한 이유 없이 우유 대신 먹이는 것은 권장하지 않습니다. 콩으로 된 음식을 먹이고, 콩으로 된 액체는 가급적 삼가세요.

Q 우유는 언제부터 얼마나 먹여야 할까요?

A 우유는 돌이 지나서 시작하는 게 좋습니다. 돌 전에 먹이게 되면 알레르기가 생기기 쉽고, 장에서 출혈을 일으켜 빈혈이 생길 수도 있습니다. 우유에 철분 함량이 적다고 너무 많이 섭취하면 오히려 철분의 흡수를 억제하므로 하루에 500~700cc 정도만 먹이는 게 좋습니다.

Q 언제부터 간을 하면 될까요?

A 이유식을 만들 때는 어떤 간도 하지 않는 게 원칙입니다. 설탕, 소금, 조미료는 돌까지는 첨가하지 않는 게 좋습니다. 이유식의 원칙 중 가장 중요한 것은 소금이나 조미료로 간을 하지 않는 것입니다. 짠맛이나 자극적인 맛에 길들여진 아기는 심심한 이유식을 거부하기 마련입니다.

Q 어른 밥을 먹여도 될까요?

A 첫돌까지는 밥을 먹이지 말고 덩어리가 있는 죽을 먹이는 게 좋습니다. 으깬 음식을 주어 고형식 연습을 하는 것입니다.

Q 이유식은 먹고 모유(혹은 분유)는 안 먹어요.

A 모유나 분유에 들어 있는 영양과 수분의 함량은 이유식과는 다릅니다. 분유는 이유식에 비해 지방의 함량이 많으며 아기의 두뇌 성장이나 신체 발육에 필수입니다. 돌 전 아이의 경우 이유식에 치중해서는 안 되고, 그래도 모유나 분유에 중점을 두어야 합니다.

Q 아기가 밥을 돌아다니면서 먹으려고 해요.

A 이유식은 반드시 한 자리에 앉아서 먹여야 합니다. 처음에 아기들은 엄마의 눈치를 보다가 자리를 뜨게 되고 별 말이 없으면 계속 돌아다니면서 먹게 됩니다. 정해진 장소에서 격식을 갖추어 먹이는 게 좋습니다. 아기용 의자를 준비해서 가족과 함께 식사를 하도록 하는 것도 올바른 식습관을 익히는데 좋습니다.

Q 사골국물을 줘도 될까요?

A 사골국에는 미네랄과 지방이 많이 들어 있습니다. 특히 포화지방이 너무 많기 때문에 아기가 소화시키기 힘듭니다. 예전에 칼슘 보충으로 사골국을 먹이는 경우가 많았지만 아기가 먹고 있는 분유에 가장 많이 들어 있는 것이 칼슘입니다. 따라서 별로 권하지 않습니다.

Q 밥을 물에 말아줘도 되나요?

A 이유식으로 밥을 말아 먹이는 것은 좋지 않습니다. 밥을 물에 말아주게 되면 씹는 연습을 제대로 할 수 없으며 침의 효소가 밥을 소화시키는 기능을 제대로 하지 못 합니다. 뿐만 아니라 밥을 물에 말아 먹이면 반찬을 제대로 먹지 못해 영양의 균형이 깨집니다. 덩어리 씹는 연습을 위해서라도 밥은 물에 말아 먹이지 마세요.

Q 아기에게 김치를 줘도 될까요?

A 김치는 짠 음식이므로 돌 전에 주어서는 안 됩니다.

Q 치즈와 요구르트는 언제부터 먹이면 될까요?

A 우선 치즈의 경우 우리나라에서 파는 것은 대부분 짜기 때문에 돌 전에 먹이는 것은 바람직하지 않습니다. 대부분의 요구르트는 소화가 잘 되기 때문에 생후 5~6개월이 되면 시작할 수 있으나 아기가 요구르트만 고집할 수 있으므로 8개월 정도부터 양을 적당히 조절해서 먹이는 게 좋습니다. 첨가물이 들어 있는 요구르트보다는 플레인 요구르트를 권장합니다. 알레르기가 있는 아기의 경우 돌 전에는 먹이지 마세요.

문상훈 원장

네이버 육아카페 마더스의 주치의. 연세대학교 의과대학 졸업, 영동세브란스병원 가정의학과 전공의를 수료했다. 대한가정의학과 정회원, 대한 소아알레르기학회 회원으로 활동하고 있으며, 지금은 행복한 연세 가정의학과 의원 원장이다.

초기 이유식
(만 4~6개월)

초기 이유식 시작하기 전 꼭 알아야 할 것

* 만 4~6개월 사이에 시작하세요.(알레르기나 아토피가 있거나 모유 수유를 하는 아기의 경우 만 6개월부터 이유식을 시작합니다.)
* 처음에 한두 숟가락부터 시작해서 서서히 양을 늘려갑니다.
* 아기가 컨디션이 좋을 때 이유식을 먹이세요. 수유 시간 20~30분 전에 이유식을 먹이고 바로 수유를 하세요.
* 2~3일 간격을 두고 새로운 재료를 하나씩 먹이세요. 알레르기를 일으킬 경우, 무슨 음식에 민감한 반응을 보이는지 알기 위함입니다.
* 만 6개월에 초기 이유식을 시작한 경우에는 쌀미음→고기미음→채소 한 가지씩 추가→과일 추가 순서로 이유식을 진행하면 됩니다.
* 이유식으로 배를 채우려고 하지 마세요. 모유(분유)로 배를 채우는 것이고, 이유식은 밥을 먹기 위한 연습입니다.
* 가루로 된 이유식을 물에 개어서 먹이지 마세요. 이유식을 먹인다는 것 자체가 중요한 게 아니라 덩어리진 음식을 먹이는 연습을 하는 것이 목적입니다.
* 일정한 시간에 일정한 장소에서 이유식을 먹이세요. 혼자 앉기 힘든 아기는 엄마 무릎이나 아기용 의자에 앉혀서 먹이면 됩니다.

초기 이유식 시작하기 전 레시피 보는 법

01 채소 삶은 물로 이유식을 만들면 물 속에 녹아 있는 영양분까지 챙길 수 있습니다. 재료를 삶는 동안 물의 양이 많이 줄어들므로 분량의 물보다 조금 더 잡으세요.

02 쌀의 수확 시기에 따라 미음을 만들 때의 물의 양이 달라집니다. 햅쌀을 사용하는 경우 물의 양을 분량의 물보다 조금 줄이세요.

03 이유식 재료는 레시피 대로 체에 내리세요. 쌀은 초반에만 체에 내리고 진도가 어느 정도 나가면 믹서에 곱게 갈아서 만드세요. 초기 이유식 후반부터 중기 이유식을 준비해야 하므로 아기가 받아들이는 정도에 따라 쌀의 크기를 조금씩 크게 만드세요.

04 이유식에 사용하는 쌀은 20분 이상 물에 불리세요.

05 재료 분량 표시에서 괄호 안의 숟가락의 양은 재료를 다 손질한 후 체에 내리거나 잘게 다진 후의 양을 말합니다.

06 이유식용 고기는 쇠고기 안심, 닭 안심, 닭 가슴살을 사용합니다.

아기의 상황에 따른 맞춤 이유식 재료

초기 이유식 재료는 알레르기를 일으킬 위험이 가장 적은 재료들로 모았습니다. 초기 이유식 재료 중 이상 반응(두드러기, 설사 등)을 보이지 않은 재료들을 앞으로도 계속 활용하세요. 완두콩은 알레르기나 아토피가 있는 아기의 경우에는 천천히 시도하세요.

알레르기·아토피 쌀, 감자, 애호박

감기 감자, 양배추, 브로콜리, 오이(열 감기), 단호박, 고구마, 사과, 배, 닭고기

변비 양배추, 브로콜리, 고구마, 청경채

설사 찹쌀, 감자, 완두콩, 단호박, 익힌 사과, 쇠고기, 차조

빈혈 브로콜리, 콜리플라워, 완두콩

외출 초기 이유식 시기에 외출할 때는 작은 보온병이나 보온 통 혹은 유리병에 이유식을 담아가세요. 이유식 숟가락은 전용 케이스가 있으면 가지고 다니기 편리합니다. 유리병에 담아서 외출하는 경우 날씨에 따라서 보온·보냉 가방에 넣어 다니세요. 더운 여름이라면 보냉 가방 속에 아이스팩을 하나 얼려서 넣어 두시면 상할 염려가 없습니다. 식당 등에서 전자레인지에 데워 달라고 하거나 뜨거운 물에 담아서 중탕으로 데워 먹이세요.

쌀미음·찹쌀미음

"이유식의 가장 처음은 쌀미음과 찹쌀미음으로 시작합니다. 이 두 재료는 알레르기를 일으킬 우려가 가장 적기 때문이에요. 저는 처음 이유식을 만들 때 긴장도 되고 떨리기도 하고, 제대로 만들고 있는지 걱정도 되더라고요. 그리고 아기가 잘 먹을까 기대도 되었고요. 하지만 엄마의 사랑과 정성만 가득하다면 이유식 만들기가 좀 서툴러도 괜찮습니다. 파이팅!"

찹쌀미음

쌀미음

재 료

- ▢ 불린 쌀 15g(1큰술)
- ▢ 물 1컵

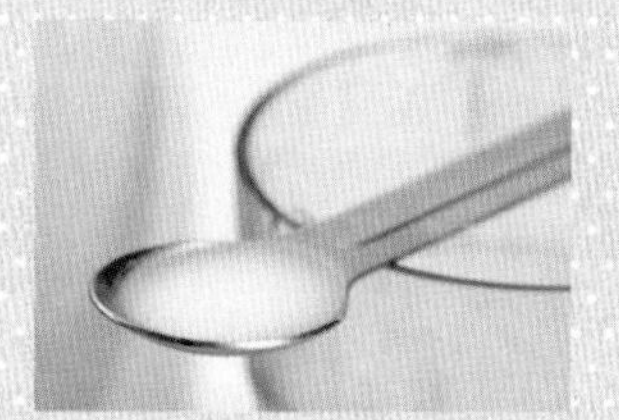

1 불린 쌀과 물 1/4컵을 믹서에 넣은 후 알갱이가 거의 보이지 않을 때까지 곱게 간다.

2 ①과 나머지 물을 냄비에 넣고 센 불에서 주걱으로 저어가며 끓인다.

3 미음이 끓어오르면 약한 불로 줄이고 저어가며 쌀이 푹 퍼지도록 7분간 끓인다.

4 고운 체에 한 번 거른다.

*찹쌀미음은 쌀 대신 찹쌀이 들어가고, 만드는 방법은 동일합니다.

● 처음부터 끝까지 주걱으로 저어가면서 끓이세요.

쌀은 우윳빛 물이 될 때까지 믹서에 간 후, 남은 물을 믹서에 붓고 휘휘 흔들어 냄비에 넣으면 믹서에 남아있는 재료 없이 다 넣을 수 있어요. 초기 이유식은 양이 적기 때문에 처음부터 끝까지 주걱으로 저으면서 끓여야 눌어붙지 않아요.

● 쌀과 찹쌀은 각각 가루로 대신할 수 있어요.

쌀가루를 사용할 때는 찬물에 풀어서 끓여야 덩어리지지 않아요. 하지만 이유식은 고형식을 연습하는 과정이기 때문에 가루로 이유식을 만들어 먹이는 것은 좋은 방법이 아닙니다. 이유식의 농도는 먹기 직전 끓인 물을 부어 조절하세요. 찹쌀은 너무 자주 먹이지 마시고 가끔 한 번씩 만들어주세요.

감자미음·고구마미음

"이유식을 처음 시작해서 며칠 동안 아기를 살펴보면 넙죽넙죽 잘 받아먹는 아기가 있는 반면 다 흘리기만 하고 잘 먹지 않는 아기도 있습니다. 이유식을 먹일 때마다 반응이 다르기도 하고요. 이런 아기의 반응을 너무 민감하게 생각할 필요는 없습니다. **이유식은 마라톤이라고 생각하고 느긋하게 한 가지씩 해 나가세요.** 아기가 쌀미음을 잘 먹고 별다른 문제가 없다면 쌀 이외의 재료로 이유식 만들기를 시작해 보세요."

재 료

- ☐ 불린 쌀 15g(1큰술)
- ☐ 감자 10g(2/3큰술)
- ☐ 물 1컵

1 불린 쌀과 물 1/4컵을 믹서에 넣은 후 알갱이가 거의 보이지 않을 때까지 곱게 간다.

2 감자는 껍질을 벗기고 삶거나 찐 후 체에 내린다.

3 쌀과 감자, 나머지 물을 냄비에 넣고 센 불에서 주걱으로 저어가며 끓인다.

4 미음이 끓어오르면 약한 불로 줄이고 저어가며 쌀이 푹 퍼지도록 7분간 끓인다.

*고구마미음은 감자 대신 고구마가 들어가고 만드는 방법은 동일합니다.

● 감자와 고구마에 대해 알아봅시다!
감자는 알레르기 체질 개선과 아기가 감기에 걸렸을 때나 설사 할 때 먹이면 좋은 재료예요. 싹이 나거나 푸른 빛이 도는 감자는 독성이 있으므로 사용하지 마세요. 감자를 잘게 썰어서 익히면 시간을 단축할 수 있어요. 통째로 익힌 다음 이유식에 넣을 만큼만 덜어내고 나머지는 어른들이 먹어도 좋아요. 그리고 고구마는 변비가 있는 아기가 먹으면 좋습니다.

● 꼭 체에 내리지 않아도 됩니다.
믹서에 쌀을 넣고 쌀 알갱이가 거의 보이지 않을 정도로 곱게 갈면 굳이 체에 내리지 않아도 됩니다. 하지만 아기가 먹기 힘들어 하면 체에 곱게 내려주세요.

애호박미음

애호박미음을 처음 만들었을 때가 생각나네요. 애호박 껍질을 벗기라는데 어디까지 얼마나 벗겨야 하는지, 껍질을 벗기고 나서의 무게가 10g인지 껍질까지 포함한 무게가 10g인지 혼자서 한참 동안 고민했었거든요. 이 책에서는 껍질까지 포함해서 10g이에요. 껍질은 초록색 부분만 깎아주세요. **애호박은 알레르기가 있거나 위장이 약한 아기에게 먹이기 좋은 재료랍니다.**

재 료

- 불린 쌀 15g(1큰술)
- 애호박 10g(1/3큰술)
- 물 1컵

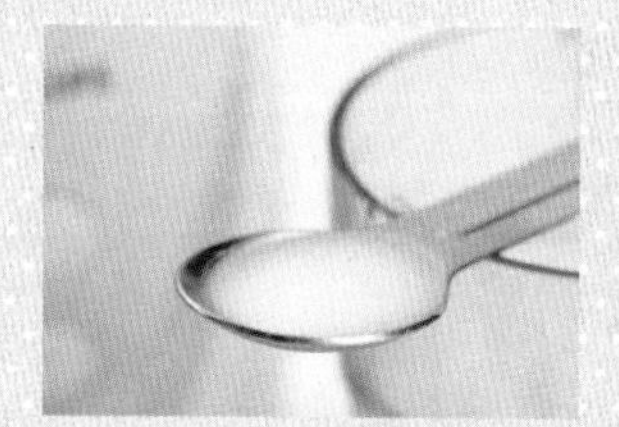

1 불린 쌀과 물 1/4컵을 믹서에 넣은 후 알갱이가 거의 보이지 않을 때까지 곱게 간다.

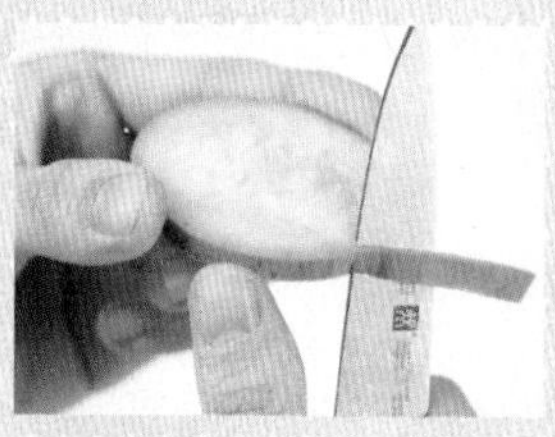

2 애호박은 껍질을 벗기고 얇게 썬 후 끓는 물에 삶은 다음 체에 내린다.

3 쌀과 애호박, 나머지 물을 냄비에 넣고 센 불에서 주걱으로 저어가며 끓인다.

4 미음이 끓어오르면 약한 불로 줄이고 저어가며 쌀이 푹 퍼지도록 7분간 끓인다.

● 애호박은 껍질을 제거하고 속살만 이용하세요.
껍질 부분에는 섬유질이 많고 단단하므로 이유식 초기 단계의 아기들이 먹기에는 부담스러워요.

● 이유식 만들 때 사용하는 체는 이유식용 체를 사용하세요.
이유식 만들 때 사용하는 체는 이유식 조리 도구 세트에 포함된 것을 사용해도 되지만, 따로 구입 한다면 이유식용으로 나온 낱개 제품을 구입하는 것이 좋아요. 시중에 파는 구멍이 촘촘한 작은 체를 사용하면 재료가 잘 내려지지 않아요.

양배추미음

"모유나 분유만 먹을 때와는 달리 이유식을 시작하면 변이 달라집니다. 변비가 생기거나 변이 묽어지거나 변의 색이 달라질 수도 있어요. 이는 이유식을 시작해서 달라지는 것이니 크게 걱정하지 않으셔도 됩니다. 그래도 걱정이 되신다면 아기가 다니는 병원의 의사선생님께 응가 사진이나 응가 기저귀를 보여주면서 상담해 보세요."

재 료

- 불린 쌀 15g(1큰술)
- 양배추 10g(6×5cm 2장)
- 물 1컵

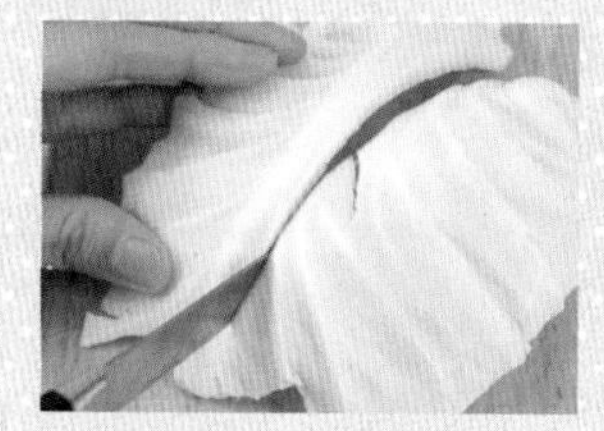

1 양배추는 심을 제거하고 듬성듬성 잘라 끓는 물에 푹 데친다.

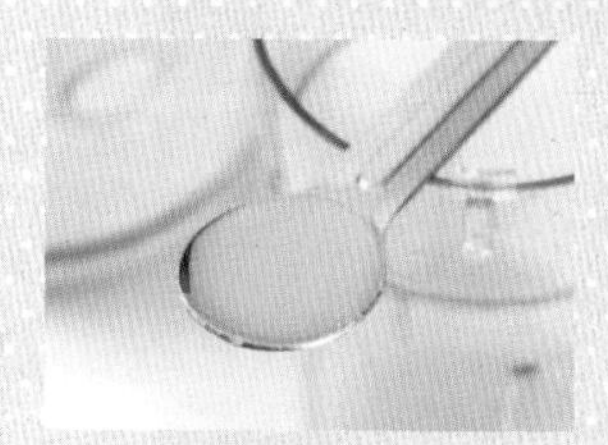

2 데친 양배추와 물 1/4컵을 믹서에 넣은 후 곱게 간다.

3 불린 쌀과 물 1/4컵을 믹서에 넣은 후 알갱이가 거의 보이지 않을 때까지 곱게 간다.

4 믹서에 양배추와 쌀, 나머지 물을 냄비에 넣고 센 불에서 저어가며 끓인다.

5 미음이 끓어오르면 불을 약하게 줄이고 저어가며 쌀이 푹 퍼지도록 7분간 끓인다.

● 양배추는 부드러운 잎 부분만 사용하세요.

양배추는 섬유질이 많아서 변비에 좋은 이유식 재료예요. 하지만 섬유질이 자칫 부담스러울 수도 있으니 주스를 만드는 것처럼 양배추를 곱게 갈아서 이유식을 만드세요. 양배추는 질긴 심 부분은 제거하고 부드러운 잎 부분만 사용하세요. 또한 반드시 끓는 물에 데쳐서 황 성분을 날려야 냄새가 나지 않아요. 양배추 데친 물은 사용하지 않습니다.

콜리플라워미음

브로콜리미음

브로콜리미음·콜리플라워미음

“이유식을 만들 때 맛과 향도 중요하지만 색감도 신경 써서 만들어주세요. 브로콜리는 비타민이 풍부해 감기 예방에 좋고 피부를 예쁘게 만들어주며, 철분이 풍부해 빈혈 예방에도 좋은 재료랍니다. 콜리플라워는 '꽃양배추'라고도 불리는 채소로 브로콜리가 돌연변이를 일으켜 백화한 것이에요. 영양 면에서는 거의 비슷하지만 씹히는 맛은 브로콜리보다 부드럽답니다.”

재 료

- ☐ 불린 쌀 15g(1큰술)
- ☐ 브로콜리 5g(1/2큰술)
- ☐ 물 1컵

1 브로콜리는 부드러운 꽃부분만 칼로 잘라 흐르는 물에 깨끗이 씻는다.

2 브로콜리는 끓는 물에 3분간 삶은 후 체에 내린다.

3 불린 쌀과 물 1/4컵을 믹서에 넣고 간다. 냄비에 붓고 브로콜리와 나머지 물을 함께 넣어 센 불에서 주걱으로 저어가며 끓인다.

4 미음이 끓어오르면 불을 약하게 줄이고 저어가며 쌀이 푹 퍼지도록 7분간 끓인다.

*콜리플라워미음은 브로콜리 대신 콜리플라워가 들어가고 만드는 방법은 동일합니다.

● **브로콜리와 콜리플라워의 줄기 부분은 사용하지 않아요.**
부드러운 꽃 부분만 떼어내어 사용하고 삶을 때는 어른들이 먹는 것 보다 조금 더 무르게 삶아 주세요. 브로콜리를 처음 먹일 때는 체에 곱게 내려서 이유식을 만들어 주세요. 남은 브로콜리는 데친 후 초장을 찍어 먹는 게 가장 간단한 브로콜리 요리법이에요.
그냥 먹는 것이 부담스럽다면 잘게 다진 다음 달걀에 섞어서 달걀말이를 해드세요.

완두콩미음

"완두콩미음은 완두콩을 삶은 다음 껍질을 하나하나 제거한 후 만드는 이유식이라 번거롭고 손도 많이 간답니다. 어쩌면 조금 귀찮을지도 몰라요. 하지만 달콤한 맛도 나고 고소하기 때문에 아기들이 잘 먹는 이유식이죠. 완두콩은 단백질, 철분, 칼슘 등이 들어있어 성장 발달에 도움이 되는 재료예요. 그리고 설사하는 아기에게 먹이기 좋은 재료이기도 하고요. 하지만 **콩류이기 때문에 태열이나 아토피가 있는 아기의 경우에는 천천히 시도하세요.**"

재 료

- ▢ 불린 쌀 15g(1큰술)
- ▢ 완두콩 10g(1/2큰술)
- ▢ 물 1컵

1 완두콩은 하루 정도 물에 불린 후 끓는 물에 푹 삶아 껍질을 제거하고 체에 내린다.

2 불린 쌀과 물 1/4컵을 믹서에 넣은 후 곱게 간다.

3 완두콩과 쌀, 나머지 물을 냄비에 넣고 센 불에서 주걱으로 저어가며 끓인다.

4 미음이 끓어오르면 불을 약하게 줄이고 저어가며 쌀이 푹 퍼지도록 7분간 끓인다.

● 완두콩이 제철이 아닐 때는 유기농 냉동 완두콩을 구입해 사용하면 편해요.
완두콩은 제철이 아니면 구하기가 쉽지 않아요. 온·오프라인 유기농 숍에서 유기농 냉동 완두콩을 구입해 조리하면 편해요. 냉동 완두콩은 살짝 삶아 냉동되었기 때문에 물에 불리지 않고 바로 삶아서 사용할 수 있어요. 냉동 완두콩은 껍질이 얇기 때문에 바로 체에 내려도 됩니다.

오이미음

“ 오이로 이유식을 만들면 상큼한 오이 향이 온 주방에 가득 맴돌아요. 그래서인지 뜨거운 불 앞에 서서 이유식을 만들어도 기분은 즐거워진답니다. **오이의 상큼한 향과 맛은 아기의 식욕을 돋우고 소화를 잘 되게 합니다.** 그리고 오이에는 찬 성질이 있어서 열이 날 때 먹이기 좋은 재료예요. ”

재 료

- 불린 쌀 15g(1큰술)
- 오이 10g(1큰술)
- 물 1컵

1 오이는 깨끗이 씻은 후 껍질을 벗겨 강판에 간다.

2 불린 쌀과 물 1/4컵을 믹서에 넣은 후 곱게 간다.

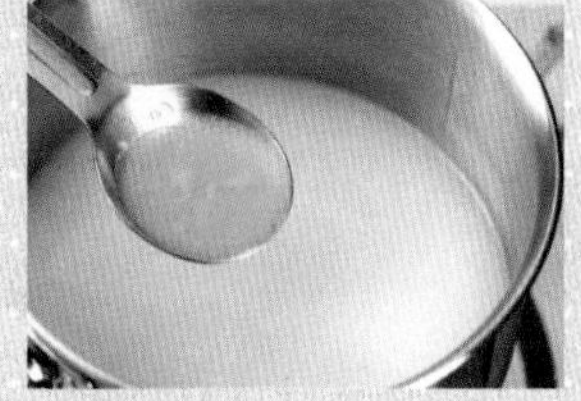

3 오이와 쌀, 나머지 물을 냄비에 넣고 센 불에서 주걱으로 저어가며 끓인다.

4 미음이 끓어오르면 불을 약하게 줄이고 저어가며 쌀이 푹 퍼지도록 7분간 끓인다.

● 오이는 돌기가 살아있고 단단한 것이 좋아요.
오이를 강판에 갈 때는 분량보다 조금 더 길게 잘라서 끝부분을 잡고 강판에 갈면 손을 다칠 위험이 줄어듭니다. 오이는 만져봤을 때 돌기가 살아있고 단단한 것이 좋아요. 꼭지가 마르지 않고 꽃이 붙어있는 것으로 고르세요.

청경채미음

"청경채는 면역 체계를 향상시켜주고 치아와 골격 발달에 도움을 주며, 변비에도 좋은 식재료예요. 청경채는 부드러운 잎 부분만을 사용하는데, 5g의 청경채 잎을 얻으려면 300g 정도의 청경채를 사야 하는 아주 비싼 식재료죠. 하지만 **아기가 자라서 편식하지 않고 잎 채소도 잘 먹게 하려면 이유식 시기에 맞춰 다양한 재료를 맛보게 해주는 것이 중요하답니다.**"

재 료

- ▢ 불린 쌀 15g(1큰술)
- ▢ 청경채(잎 부분) 5g(2/3큰술)
- ▢ 물 1컵

1 청경채는 잎 부분만 잘게 자른 후 끓는 물에 데친 다음 체에 내린다.

2 불린 쌀과 물 1/4컵을 믹서에 넣은 후 곱게 간다.

3 청경채와 쌀, 나머지 물을 냄비에 넣고 센 불에서 주걱으로 저어가며 끓인다.

4 미음이 끓어오르면 불을 약하게 줄이고 저어가며 쌀이 푹 퍼지도록 7분간 끓인다.

● 청경채는 꼭 체에 내려주세요.

청경채는 잎의 색이 퇴색되지 않고 본래의 초록색을 띠고 있으며 잎과 줄기 부분이 탄력 있는 것으로 고르세요. 청경채는 부드러운 잎 부분만 사용합니다. 데친 청경채는 아기의 목에 걸리지 않고 부드럽게 넘어가도록 꼭 체에 내려주세요.

감자애호박미음

" 지금까지는 한 가지 재료로 이유식을 만들었는데, 초기 이유식 중반을 넘어서면서 두 가지 재료를 섞어서 이유식을 만들 때가 되었습니다. 두 가지 재료를 섞어서 이유식을 만들 때는 그동안 아기가 먹어서 알레르기 반응을 보이지 않고 잘 먹었던 재료들로 만들어주세요. 두 가지 재료를 넣다보니 손은 조금 더 가지만, 엄마가 즐겁게 만들어야 이유식도 더 맛있게 만들어진다는 사실을 잊지마세요. "

재 료

- ▢ 불린 쌀 15g(1큰술)
- ▢ 감자 10g(2/3큰술)
- ▢ 애호박 5g(1/2큰술)
- ▢ 물 1컵

1 감자는 껍질을 벗긴 후 삶거나 찐 다음 체에 내린다.

2 애호박은 껍질을 벗긴 후 얇게 썰어서 끓는 물에 삶은 다음 체에 내린다.

3 불린 쌀과 물 1/4컵을 믹서에 넣은 후 곱게 간다.

4 감자와 애호박, 쌀, 나머지 물을 냄비에 넣고 센 불에서 주걱으로 저어가며 끓인다.

5 미음이 끓어오르면 불을 약하게 줄이고 저어가며 쌀이 푹 퍼지도록 7분간 끓인다.

● 감자와 애호박을 같이 체에 내려도 됩니다.
찬물에 감자를 넣고 끓이다가 물이 끓어오르면 약한 불로 줄이세요. 감자가 반쯤 익어 불투명하게 되면 애호박 손질한 것을 넣고 애호박과 감자가 다 익을 때까지 끓인 다음 재료들을 건져내 같이 체에 내리면 만드는 과정이 좀 더 간단해져요.

감자오이미음

“아기가 아프지 않고 건강하게만 자란다면 정말 기쁘겠지만 의외로 아기들도 감기에 잘 걸린답니다. 큰 아이들처럼 감기차를 만들어 먹일 수도 없고, 그렇다고 약을 먹이자니 속상하고, 약을 먹이고 있다면 빨리 낫게 해서 약을 그만 먹이고 싶을 거예요. 그럴 때 먹이기 좋은 이유식이 바로 감자오이미음이랍니다. 감자와 오이는 감기 예방에 좋은 재료거든요.”

재 료

- ☐ 불린 쌀 15g(1큰술)
- ☐ 감자 10g(2/3큰술)
- ☐ 오이 5g(1/3작은술)
- ☐ 물 1컵

1 감자는 껍질을 벗긴 후 삶거나 찐 다음 체에 내린다.

2 오이는 껍질을 벗기고 4등분해 씨를 제거한 뒤 얇게 채 썰어 끓는 물에 데친다.

3 데친 오이는 좁쌀보다 작은 크기로 잘게 다진 후 절구에 으깬다.

4 불린 쌀과 물 1/4컵을 믹서에 넣어 곱게 간다.

5 감자와 오이, 쌀, 나머지 물을 냄비에 넣고 센 불에서 주걱으로 저어가며 끓이다가 미음이 끓어오르면 불을 약하게 줄이고 저어가며 쌀이 푹 퍼지도록 7분간 끓인다.

● 덩어리가 있는 음식을 먹이는 연습이 필요해요.

초기 이유식 중반을 넘어서면 아주 작은 알갱이지만 덩어리가 있는 음식을 먹이는 연습이 필요합니다. 오이는 아기가 받아들일 수 있을 정도로 최대한 작게 다진 다음 절구로 한 번 으깨서 조금 더 부드럽게 만드세요. 이때 아기가 받아들이는 정도는 매일 아기를 관찰하고 있는 엄마가 가장 정확하게 알 수 있답니다. 아기가 덩어리를 부담스러워 하면 오이는 강판에 갈아주세요.

감자브로콜리미음

"이유식을 만들다보면 '왜 재료들을 하나하나 데치고, 손질하고, 다시 넣어서 끓여야 할까?'라는 의문이 들 때가 있으실 거예요. 그 이유는 **초기 이유식의 경우 재료를 익히지 않고 바로 넣어 끓이면 미음이 너무 되직해지고 농도 조절이 힘들기 때문이랍니다.**"

재 료

- ▢ 불린 쌀 15g(1큰술)
- ▢ 감자 10g(1큰술)
- ▢ 브로콜리 5g(1/2큰술)
- ▢ 물 1컵

1 감자는 껍질을 벗긴 후 끓는 물에 삶거나 찐 다음 절구에 으깬다.

2 브로콜리는 부드러운 꽃 부분만 칼로 자른 뒤 깨끗이 씻는다.

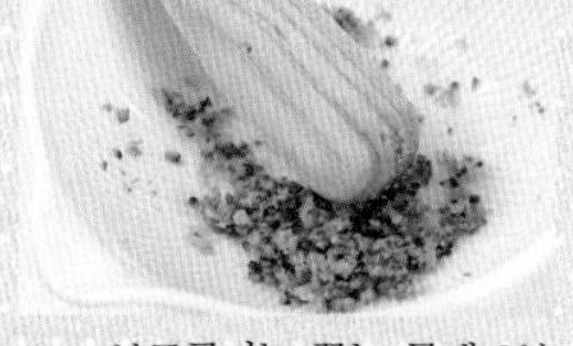

3 브로콜리는 끓는 물에 3분 정도 익힌 뒤 좁쌀보다 작은 크기로 다진 후 절구에 으깬다.

4 불린 쌀과 물 1/4컵을 믹서에 넣어 곱게 간다.

5 감자와 브로콜리, 쌀, 나머지 물을 냄비에 넣고 센 불에서 주걱으로 저어가며 끓이다가 미음이 끓어오르면 불을 약하게 줄이고 저어가며 쌀이 푹 퍼지도록 7분간 끓인다.

● 숟가락으로 으깨면서 덩어리를 조절하세요.
이유식 재료를 강판에 갈거나 체에 내리지 않고 다지거나 으깨기 시작하면 가끔 덩어리 조절에 실패할 때가 있어요. 그럴 때는 숟가락으로 으깨면서 아기에게 먹이는 융통성이 필요합니다.

● 브로콜리와 감자는 무르게 삶으세요.
브로콜리는 어른들이 먹는 것보다 조금 더 무르게 삶으세요. 감자를 으깰 때 절구공이로 으깨기 힘들면 포크로 한 번 으깬 다음 절구공이로 으깨면 훨씬 편해요.

단호박감자미음

“여러 가지 재료를 섞어서 이유식을 만들 때는 한 가지 재료는 처음 먹여보는 것으로, 나머지 재료는 그동안 아기가 먹어본 것 중 이상 반응을 보이지 않는 것으로 만들어 주세요. 이렇게 하면 혹시라도 아기가 이유식을 먹고 알레르기 반응을 일으켰을 때 무슨 재료 때문인지 알아내기 쉽습니다. 단호박감자미음은 만드는 방법이 비교적 간단하고, 단호박의 달콤한 맛 때문에 대부분의 아기들이 잘 먹는답니다.”

재 료

- ☐ 불린 찹쌀 15g(1큰술)
- ☐ 단호박 10g(1/2큰술)
- ☐ 감자 5g(1/4큰술)
- ☐ 물 1컵

1 단호박은 껍질과 씨를 제거하고 감자는 껍질을 벗겨 끓는 물에 삶거나 찐 뒤 절구에 으깬다.

2 불린 찹쌀과 물 1/4컵을 믹서에 넣은 후 곱게 간다.

3 단호박과 감자, 찹쌀, 나머지 물을 냄비에 넣고 센 불에서 주걱으로 저어가며 끓인다.

4 미음이 끓어오르면 불을 약하게 줄여 쌀이 푹 퍼지도록 7분간 끓인다.

● 단호박을 살짝 익히면 껍질을 쉽게 벗길 수 있어요.

출산으로 관절이 약해진 엄마가 딱딱한 단호박을 자르고 껍질을 벗긴다는 것은 쉬운 일이 아니에요. 단호박이 겉만 살짝 익도록 전자레인지에 5분 정도 조리한 후 껍질을 벗기면 쉬워요. 익히지 않고 벗길 때는 필러를 사용하세요.

● 단호박 살 때, 원산지를 확인하세요.

단호박은 주로 수입산이 대부분이지만 잘 찾아보면 국내산, 유기농 단호박도 있어요. 수입산을 살 경우 꼭지 부분을 확인하고 곰팡이가 피었는지, 오래된 것은 아닌지 반드시 살펴보고 구입하세요.

고구마양배추수프

"어른들도 밥만 먹으면 가끔 다른 것이 먹고 싶듯이 아기에게도 가끔 특별식을 만들어주세요. 고구마양배추수프는 쌀이 들어가는 미음에 비해 만드는 시간이 짧아서 엄마가 바쁘거나 혹은 몸과 마음이 지쳤을 때 만들어 먹이기 좋은 이유식이랍니다. 모유를 먹는 아기의 경우 분유 물로 수프를 만들면 분유 맛 때문에 간혹 먹지 않기도 하니 모유로 만들어 주세요. 고구마양배추수프는 변비에 좋은 이유식이에요."

재 료

- 고구마 80g(8큰술)
- 양배추 10g(1큰술)
- 모유(혹은 분유 물) 80cc

1 고구마는 껍질을 벗기고 삶거나 찐 뒤 절구에 으깬다.

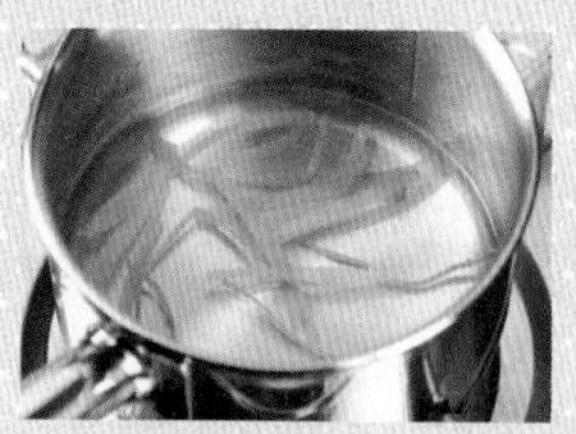

2 양배추는 얇게 채 썬 다음 끓는 물에 흐물흐물해질 정도로 푹 삶는다.

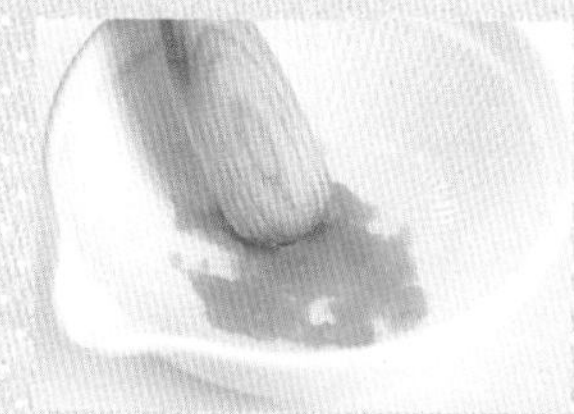

3 데친 양배추는 좁쌀보다 작은 크기로 다진 다음 절구에 으깬다.

4 냄비에 고구마와 양배추, 모유(분유 물)를 넣고 한소끔 끓인다.

● 이유식에서 수프류에는 모유나 분유가 들어가요.

모유나 분유는 너무 오래 끓이면 영양분이 다 파괴되므로 모유나 분유 외의 재료를 미리 완전히 익힌 다음 모유나 분유를 넣고 한번 부르르 끓어오르면 불을 끈 후 바로 냄비를 내려주세요.

고구마비타민미음

" 비타민은 청경채와 더불어 이유식에서 많이 쓰이는 잎채소예요. 주로 유기농 쌈채소 코너에서 판매하는데 소량 구매도 가능합니다. 비타민은 줄기 부분은 사용하지 않기 때문에 5g의 비타민 잎을 얻으려면 비타민 3~4줄기 정도가 필요하답니다. "

재 료

- 불린 쌀 15g(1큰술)
- 고구마 10g(1큰술)
- 비타민(잎 부분) 5g(2/3큰술)
- 물 1컵

1 고구마는 껍질을 벗기고 삶거나 찐 뒤 절구에 으깬다.

2 비타민은 잎 부분만 잘게 잘라 끓는 물에 데친 후 체에 내린다.

3 불린 쌀과 물 1/4컵을 믹서에 넣은 후 곱게 간다.

4 고구마와 비타민, 쌀, 나머지 물을 냄비에 넣고 센 불에서 주걱으로 저어가며 끓이다가 미음이 끓어오르면 불을 약하게 줄이고 저어가며 쌀이 푹 퍼지도록 7분간 끓인다.

● **비타민은 줄기를 떼어내고 잎 부분만 사용하세요.**
비타민의 잎은 섬유질이 많기 때문에 초기 이유식 시기에는 데친 다음 꼭 체에 내려서 사용해주세요. 그래야 목에 걸리지 않고 잘 넘어가며 아기들이 소화시키기도 쉽답니다.

청경채콜리플라워미음

“ 이유식은 보통 한 번 만들어서 2~3회 정도로 나누어 먹이는데, **용기에 이유식 이름, 만든 날짜와 시간을 적어서 냉동실에 넣어두면 5일까지 보관 가능해요.** 그렇게 보관하면 이유식을 만들지 못한 날에 요긴하게 사용할 수 있답니다. 해동할 때는 실온에서 자연 해동하거나 찬물에 담가 해동한 다음 냄비에 이유식 용기의 반 정도 높이까지 물을 붓고 중탕으로 데워주세요. ”

재 료

- ▢ 불린 쌀 15g(1큰술)
- ▢ 청경채(잎 부분) 10g (1과 1/3큰술)
- ▢ 콜리플라워 10g(1/2큰술)
- ▢ 물 1컵

1 청경채는 잎 부분만 잘게 잘라 끓는 물에 데친 후 체에 내린다.

2 콜리플라워는 부드러운 꽃 부분만 칼로 떼어낸 후 끓는 물에 삶아 강판에 간다.

3 불린 쌀과 물 1/4컵을 믹서에 넣은 후 곱게 간다.

4 청경채와 콜리플라워, 쌀, 나머지 물을 냄비에 넣고 센 불에서 저어가며 끓이다가 미음이 끓어오르면 불을 줄이고 쌀이 푹 퍼지도록 7분간 끓인다.

● 콜리플라워는 브로콜리보다 부드러워서 익는 시간도 더 빨라요.
콜리플라워는 너무 오래 삶으면 강판에 가는 사이에 다 부스러지니 너무 무르지 않게 삶으세요. 강판에 갈지 않고 절구에 으깨도 괜찮아요. 콜리플라워를 고를 때는 꽃의 끝부분 색이 변하지 않았고 묵직한 것으로 고르세요.

사과미음·배미음

“ 단맛을 일찍 접한 아기들은 심심한 이유식을 잘 먹지 않으려 하기도 해요. 그래서 쌀미음 ··· 채소미음 ··· 과일미음 순서로 먹이는 거랍니다. 가장 먼저 먹일 수 있는 과일은 사과와 배인데, 처음 먹일 때는 생 즙보다는 익힌 과일 즙부터 먹이는 게 좋습니다. ”

사과미음

재 료

- ☐ 불린 쌀 15g(1큰술)
- ☐ 사과 10g(1과 1/3큰술)
- ☐ 물 1컵

1 사과는 껍질을 벗겨 강판에 곱게 간다.

2 불린 쌀과 물 1/4컵을 믹서에 넣은 후 곱게 간다.

3 사과와 쌀, 나머지 물을 냄비에 넣고 센 불에서 주걱으로 저어가며 끓인다.

4 미음이 끓어오르면 불을 약하게 줄이고 저어가며 쌀이 푹 퍼지도록 7분간 끓인다.

* 배미음은 사과 대신 배가 들어가고 만드는 방법은 동일합니다.

● 과일은 믹서보다 강판에 가는 것이 좋아요.

과일 이유식을 만들 때는 과일을 믹서에 갈지 않고 강판에 갑니다. 그 이유는 모터에서 나오는 열에 의해 과일의 비타민이 파괴되고 또한 거품이 많이 생기기 때문입니다.

● 감기에 걸렸을 때는 사과 즙이나 배 즙으로 만든 이유식이 좋아요.

변이 묽은 아기에게는 익힌 사과로 만든 이유식을 먹이는 것이 좋지만 변비가 있는 아기에게는 많이 먹이지 않는 것이 좋습니다. 알레르기 때문에 만 6개월 이후에 이유식을 시작하는 아기에게는 쌀미음→채소미음(1~2가지)→고기미음→고기채소미음→고기과일미음 순서로 이유식을 만들어주세요.

배양배추미음

“아기들이 의외로 변비에 잘 걸려요. 일주일 정도까지는 괜찮지만 그 이상이 되면 아기가 응가할 때 너무 힘들어 한답니다. 섬유질이 많은 양배추나 잎채소, 배로 만든 이유식은 변비에 걸린 아기에게도 좋고, 변비 예방에도 좋은 이유식이에요. 배양배추미음은 입맛을 잃은 아기, 감기에 걸린 아기, 그리고 변비에 걸린 아기에게 먹이기 좋습니다.”

재 료

- 불린 쌀 15g(1큰술)
- 배 10g(1과 1/3큰술)
- 양배추 10g(1큰술)
- 물 1컵

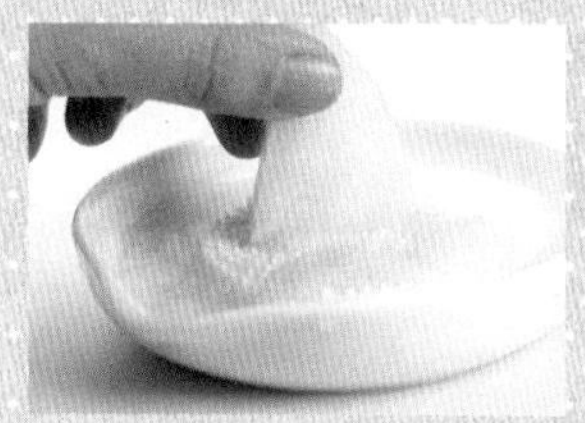

1 배는 껍질을 벗겨 강판에 곱게 간다.

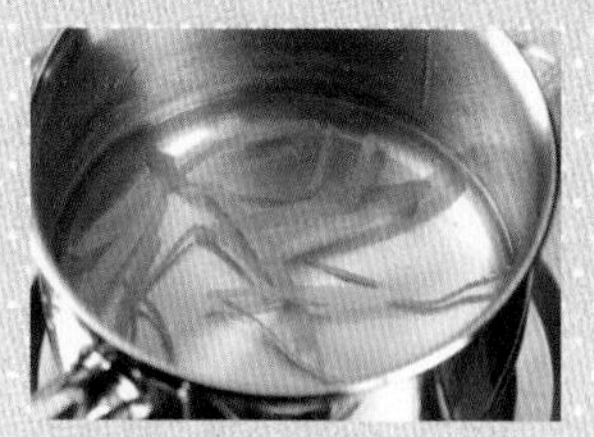

2 양배추는 얇게 채썬 다음 끓는 물에 흐물흐물해질 정도로 푹 삶는다.

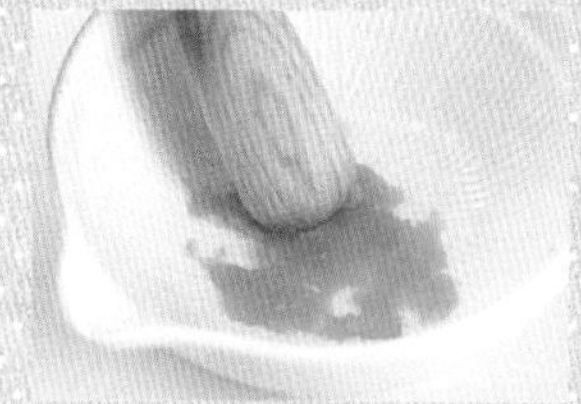

3 데친 양배추는 좁쌀보다 작은 크기로 다진 다음 절구에 으깬다.

4 불린 쌀과 물 1/4컵을 믹서에 넣은 후 곱게 간다.

5 배와 양배추, 쌀, 나머지 물을 냄비에 넣고 센 불에서 주걱으로 저어가며 끓이다가 미음이 끓어오르면 불을 줄여 쌀이 푹 퍼지도록 7분간 끓인다.

● **쌀알은 1/3~1/4정도 크기가 되도록 갈아주세요.**
중기 이유식이 얼마 남지 않았으므로 덩어리의 크기를 조금씩 늘려가야 합니다. 하지만 아기가 힘들어하면 덩어리의 크기는 다시 작게 조절했다가 늘리는 등 아기의 반응을 보면서 융통성 있게 만드세요.

쇠고기미음

"초기 이유식을 만들면서 '언제쯤 고기를 먹일 수 있을까?' 라는 생각을 했었어요. 고기 이유식을 처음 만들었을 때 두근두근 떨렸었는데 아기가 생각보다 잘 안 먹더라고요. 그 이유는 쇠고기의 핏물을 제거하지 않고 만들었기 때문이었어요. 이유식을 만들 때는 고기 누린내를 없애기 위한 재료를 첨가할 수 없기 때문에 **고기 누린내가 나지 않는 좋은 등급의 고기와 부드러운 부위인 안심으로 만들어주세요.** 그리고 찬물에 담가 핏물을 꼭 제거해 주세요."

재 료

- 불린 쌀 15g(1큰술)
- 쇠고기 10g(2/3큰술)
- 물 1컵

1 쇠고기는 덩어리째 찬물에 담가 핏물을 제거한다.

2 냄비에 물 3/4컵을 붓고 끓어오르면 쇠고기를 얇게 잘라 넣어 익힌다. 쇠고기는 건지고 국물은 그대로 둔다.

3 익힌 쇠고기는 다진 뒤 절구에 으깬다.

4 으깬 쇠고기는 쇠고기 삶은 물을 조금씩 부어가며 체에 내린다.

5 불린 쌀과 물 1/4컵을 믹서에 곱게 갈아 ②의 쇠고기 삶은 물에 넣는다. 체에 내린 쇠고기도 함께 넣고 센 불에서 주걱으로 저어가며 끓인다.

6 미음이 끓어오르면 불을 약하게 줄이고 쌀이 푹 퍼지도록 7분간 끓인다.

● **쇠고기는 덩어리로 구입하세요.**
쇠고기를 구입할 때는 이유식용 다진 고기 대신, 100g씩 덩어리째 구입하는 것이 좋아요. 지방을 제거하고 10~15g씩 잘라서 종이호일에 싼 다음 냉동 보관하세요. 이유식용 쇠고기는 안심 부위를 사용합니다.

● **쇠고기는 찬물에 담가 핏물을 빼주세요.**
냉동한 쇠고기는 찬물에 담가 핏물을 빼면서 해동합니다. 다진 고기를 사면 핏물을 제거하기 힘들어요. 이유식 만들 때 검은 거품 등의 불순물이 떠오르면 바로바로 제거해 주세요.

쇠고기배미음

“ **쇠고기 이유식을 만들 때 배를 넣으면 고기가 아주 부드러워지고 누린내가 나지 않아요.** 배 양념에 절인 쇠고기 안심구이를 떠올리면서 즐겁게 만들어주세요. 고기는 덩어리가 거의 없을 정도로 아주 잘게 다져 주세요. 절구에 한 번 더 으깬 다음 끓이면 미음이 끓으면서 고기 덩어리가 다 풀어져 아기가 먹기에 부담 없는 이유식이 됩니다. ”

재 료

- 불린 쌀 15g(1큰술)
- 쇠고기 10g(2/3큰술)
- 배 10g(1과 1/3큰술)
- 물 1컵

1 쇠고기는 덩어리째 찬물에 담가 핏물을 제거한다.

2 냄비에 물 3/4컵을 붓고 끓어오르면 쇠고기를 얇게 잘라 넣어 익힌다. 쇠고기는 건지고 국물은 그대로 둔다.

3 익힌 쇠고기는 다진 뒤 절구에 으깬다.

4 으깬 쇠고기는 쇠고기 삶은 물을 조금씩 부어가며 체에 내린다.

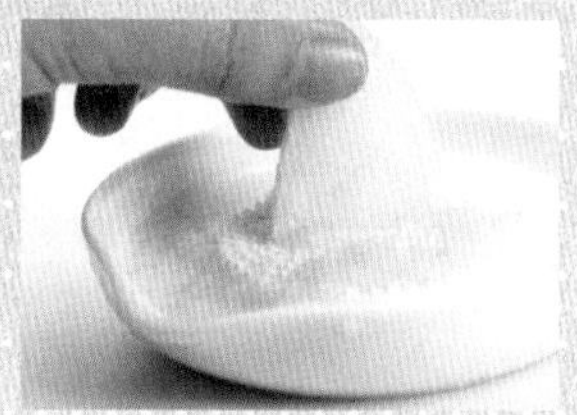

5 배는 껍질을 벗겨 강판에 곱게 갈고, 불린 쌀과 물 1/4컵은 믹서에 넣어 곱게 간다.

6 ②의 쇠고기 삶은 물에 쇠고기와 배, 쌀을 넣고 센 불에서 주걱으로 저어가며 끓이다가 미음이 끓어오르면 불을 약하게 줄이고 쌀이 푹 퍼지도록 7분간 끓인다.

● 쇠고기는 익힌 다음 다지세요.
쇠고기는 익히지 않은 상태로 다지면 원하는 크기로 다지기 어렵기 때문에 익힌 다음 다지세요.

닭고기미음

닭고기와 찹쌀로 이유식을 만들면 마치 닭백숙 같은 느낌이 나는 이유식이 만들어져요. 닭고기를 체에 내리는 것은 힘들지만 부드럽게 잘 넘어가고 구수하기 때문에 아기들이 잘 먹는답니다. **닭고기미음은 감기 걸린 아기에게 먹이기 좋을 뿐만 아니라 소화도 잘 되기 때문에 부담없이 먹이기 좋은 이유식이에요.** 닭고기는 안심이나 가슴살 부위를 사용합니다.

재 료

- ▢ 불린 찹쌀 15g(1큰술)
- ▢ 닭 안심 10g(2/3큰술)
- ▢ 물 1컵

1 닭 안심은 얇은 막과 지방, 힘줄을 떼어낸다. 물 3/4컵을 냄비에 넣은 다음 물이 끓어오르면 안심을 넣어 삶는다.

2 삶은 닭 안심은 잘게 다진 다음 절구에 으깬 후 닭 안심 삶은 물을 조금씩 부어가며 체에 내린다.

3 불린 찹쌀과 물 1/4컵을 믹서에 넣고 곱게 간다.

4 ②의 닭고기 삶은 물에 닭 안심과 찹쌀을 넣고 센 불에서 주걱으로 저어가며 끓이다가 미음이 끓어오르면 불을 약하게 줄인 후 쌀이 푹 퍼지도록 7분간 끓인다.

● 닭고기는 찬물에 담가 핏물을 제거해주세요.

닭 안심은 모유나 분유 물에 담가 누린내를 없앤 다음 이유식을 만들어도 좋답니다. 삶은 닭고기는 체에 내리는 게 쉽지 않아요. 그럴 때는 물을 조금씩 부어가면서 내리면 좀 더 쉽게 내릴 수 있어요. 닭고기는 소포장된 것으로 구입하고 이유식을 만들고 남은 닭고기는 안심가스를 만들어 냉동 보관하면 요긴한 반찬이 돼요.

퓨레 이유식

퓨레는 초기와 중기 사이에 먹이기 좋으며 중기 이유식을 먹는 아기들의 간식으로도 활용하기 좋습니다.

사과퓨레

재 료 ▢ 사과 100g

1 사과는 껍질을 벗기고 잘게 썬 후 끓는 물에 2분 정도 삶는다.
2 삶은 사과는 뜨거울 때 체에 내리거나 숟가락으로 으깬다.

** 배퓨레는 사과 대신 배가 들어가고 만드는 방법은 동일합니다.

닭고기시금치퓨레

재 료 ▢ 닭 안심 80g ▢ 시금치 30g

1 닭 안심은 삶은 후 체에 내린다.
2 시금치는 데친 후 잘게 다진다.
3 닭 안심과 시금치를 잘 섞는다.

고구마완두퓨레

재 료 ▢ 고구마 60g ▢ 불린 완두콩 30g ▢ 물 2작은술

1 고구마는 껍질을 벗기고 잘게 썬 후 끓는 물에 넣어 중불에서 5분 정도 삶는다.
2 삶은 고구마는 뜨거울 때 체에 내리거나 숟가락으로 으깬다.
3 불린 완두콩은 끓는 물에 푹 삶고 손으로 비벼 속껍질을 제거한 뒤 체에 내린다.
4 으깬 고구마와 체에 내린 완두콩을 잘 섞는다. 분량의 물을 넣어 묽기를 조절한다.

** 완두콩 대신 옥수수를 넣어서 만들어도 좋아요. 옥수수를 익힌 다음 뜨거울 때 체에 내려 섞으면 돼요.

** 옥수수는 알레르기가 있는 아기의 경우에는 돌 이후에 먹이세요.

감자오이퓨레

재 료 ▢ 감자 60g ▢ 오이 20g

1 감자는 껍질을 벗기고 잘게 썬 후 냄비에 물과 함께 넣어 중불에서 5분 정도 삶는다.
2 삶은 감자는 뜨거울 때 체에 내리거나 숟가락으로 으깬다.
3 오이는 소금으로 문질러 씻은 다음 껍질을 벗기고 4등분 해서 씨를 제거한다. (p.51 참고)
4 손질한 오이는 0.3㎝ 두께로 채 썰어 끓는 물에 데친 다음 잘게 다진다.
5 다진 오이와 으깬 감자를 잘 섞는다.

** 오이는 채 썰어 익히면 다질 때 편해요. 오이의 수분으로 퓨레의 묽기를 조절할 수 있어요.

단호박퓨레

재 료 ▢ 단호박 80g

1 단호박은 껍질과 씨를 제거하고 잘게 썬 후 냄비에 물과 함께 넣어 끓어오르면 중불에서 5분 정도 삶는다.
2 삶은 단호박은 뜨거울 때 체에 내리거나 숟가락으로 으깬다.

고구마당근퓨레

재 료 ▢ 고구마 60g ▢ 당근 20g

1 고구마와 당근은 껍질을 벗기고 잘게 썬 후 냄비에 물과 함께 넣어 끓어오르면 중불에서 5분 정도 삶는다.
2 삶은 고구마와 당근을 뜨거울 때 체에 내리거나 숟가락으로 으깬다.

이유식 1일 횟수 2회(간식 1회)
이유식 한 끼 분량 60~120cc
1일 수유량 700~800ml

chapter 02

중기 이유식 (만 6~8개월)

중기 이유식 시작하기 전 꼭 알아야 할 것

* 초기 이유식을 만 6개월에 시작한 아기의 경우 중기 이유식은 만 7~8개월부터 시작하세요. 하지만 일찍 시작한 아기보다 진도가 늦다고 걱정할 필요는 없습니다. 시간이 지나면 이유식 진도는 다 따라잡을 수 있으니 느긋하게 이유식을 진행하세요.
* 아기의 먹는 양은 다 다르기 때문에 많이 먹는다고 혹은 적게 먹는다고 스트레스 받지 마세요.
* 만 6개월 이후부터 매일 쇠고기를 먹이는 것이 좋습니다.
* 중기 이유식부터 생수 대신 육수를 사용하세요. 단, 멸치 육수, 새우 육수, 가다랭이 육수 등은 사용하지 마세요.
* 손잡이가 달린 컵이나 빨대컵, 스파우트컵 등으로 컵 사용하는 연습을 시키세요.
* 아기용 자리를 마련해주세요. 식탁 의자나 아기 전용 이유식 식탁도 좋습니다.
* 이유식은 배가 고플 때 먹이고, 이유식을 먹인 후 바로 모유(분유) 수유를 하세요. 배가 불러서 모유(분유)를 잘 안 먹더라도 바로 먹이는 것이 좋습니다. 그래야 아기가 한 번에 먹을 수 있는 양이 늘어요.
* 어른 밥은 먹이지 마세요. 처음에는 잘 먹는 것 같지만, 나중에 이유식에 실패할 확률이 높습니다.
* 절대 간하지 마세요. 시판 아기용 과자도 절대 먹이지 마세요. 설탕과 첨가물이 들어 있습니다.

아기의 상황에 따른 맞춤 이유식 재료

고위험군에 속하는 이유식 재료는 돌 이후에 먹이는 게 안전합니다. 만일 이상 반응(두드러기, 설사 등)을 보인다면 잠시 쉬었다가 나중에 다시 시도하세요. 두부, 콩류, 달걀을 제외하고 초기 이유식에 들어간 재료 중 이상 반응이 없는 재료로 만든 이유식은 먹여도 됩니다.

알레르기·아토피 알레르기, 아토피가 있다고 해서 모든 음식을 조심할 필요는 없습니다. 고위험 재료를 제외하고는 한 가지씩 첨가하면서 먹여 보세요.

감기 감자, 양배추, 브로콜리, 오이(열 감기), 단호박, 고구마, 사과, 배, 닭고기, 무, 당근, 대추, 배추, 아욱(기침 감기), 연근(열감기)

변비 양배추, 브로콜리, 고구마, 청경채, 잘 익은 바나나, 사과, 자두, 살구, 시금치, 배추, 건포도, 아욱, 미역

설사 찹쌀, 감자, 완두콩, 단호박, 익힌 사과, 쇠고기, 차조, 익힌 당근, 대추

빈혈 브로콜리, 콜리플라워, 완두콩, 시금치, 미역, 달걀노른자, 대추, 강낭콩, 표고버섯

식욕부진 구기자, 대추

특히 잘 먹는 이유식 구기자닭죽, 구기자대추죽, 미역쇠고기표고버섯죽, 라이스수프류

외출 중기 이유식 역시 초기 이유식과 마찬가지 방법으로 이유식을 준비하시면 됩니다. 데우지 않고 간단하게 먹이고 싶은 경우에는 초기 이유식 마지막에 먹이는 간식인 퓨레와 중기 이유식 간식인 메쉬, 푸딩을 가지고 나가세요.

중기 이유식 시작하기 전 레시피 보는 법

01 쌀은 미리 20분 이상 물에 불리면 빨리 만들 수 있어요. 밥으로 만들 경우 쌀의 2배 분량으로 만들어주세요. 쌀로 만드는 게 훨씬 맛있습니다.

02 쇠고기는 차가운 물에 담가 핏물을 빼세요.

03 닭고기는 모유나 분유 물에 담갔다가 조리하면 잡냄새가 나지 않습니다.

04 쇠고기나 닭고기를 익힐 때 육수 위로 떠오르는 갈색 불순물은 체로 건지세요.

05 이유식 재료 중 채소는 미리 다져서 익힌 다음 체로 건져내면 편해요.

06 이유식의 묽기와 덩어리는 시기별로 정해진 것은 없습니다. 아기에게 맞춰서 엄마가 조절하세요. 아기가 먹기 힘들어하면 덩어리를 다시 작게 만들고, 아기가 잘 먹으면 조금씩 크기를 늘려주세요.

07 재료 분량 표시에서 괄호 안에 적은 숟가락의 양은 재료를 다지거나 체에 내리는 등 손질한 후 양을 말합니다.

08 이유식용 고기는 쇠고기 안심, 닭 안심, 닭 가슴살을 사용합니다.

쇠고기육수·닭고기육수·다시마물

" 중기부터는 육수를 사용해서 이유식을 만들어주세요. 육수를 만드는 과정이 조금 번거롭긴 하지만 **육수로 만든 이유식과 물로 만든 이유식은 영양은 물론 맛에 있어서도 차이가 많이 난답니다.** 육수는 만든 날짜와 이름을 써서 한 끼 분량만큼 나눠 담아 냉동 보관하세요. 보관 기간은 보름까지 가능합니다. "

재 료 (5회분)

- ☐ 쇠고기(양지 혹은 사태) 100g
- ☐ 양파 1/4개
- ☐ 물 8컵

쇠고기 육수

1. 쇠고기는 기름을 떼낸다.
2. 손질한 쇠고기는 찬물에 30분 정도 담가 핏물을 뺀다.
3. 냄비에 분량의 물과 쇠고기, 양파를 넣고 센 불에서 끓인다. 물이 끓어오르면 위에 뜨는 갈색 불순물을 제거한다.
4. 가장 약한 불로 줄여서 1시간 정도 끓인다.
5. 육수가 우러나면 쇠고기는 건져내고 육수는 식힌 다음 냉장고에 넣어 위에 뜬 기름을 응고시킨다.
6. 응고된 기름은 체에 걸러 제거한 후 작은 병이나 통에 나눠 담는다. 육수는 5~6컵 정도 나오며 200~250cc 병에 나눠 담으면 편리하다.

재 료 (5회분)

- ☐ 닭 다리 2개
- ☐ 양파 1/4개
- ☐ 물 8컵

닭고기 육수

1. 닭 다리는 껍질을 제거하고 기름을 떼낸다.
2. 손질한 닭 다리는 찬물에 30분 정도 담가 핏물을 뺀다.
3. 분량의 물과 닭 다리, 양파를 넣고 센 불에서 끓인다. 물이 끓어오르면 위에 뜨는 갈색 불순물을 제거한다.
4. 가장 약한 불로 줄여서 1시간 정도 끓인다.
5. 육수가 우러나면 닭 다리와 양파는 건져내고 육수는 식힌 다음 냉장고에 넣어 위에 뜨는 기름을 응고시킨다.
6. 응고된 기름은 체에 걸러 제거한 후 작은 병에 나눠 담는다. 육수는 5~6컵 정도 나오며 200~250cc 병에 나눠 담으면 편리하다.

재 료 (5회분)

- ☐ 다시마 10g(사방 5cm 길이 1장)
- ☐ 물 5컵

다시마 물

1. 다시마는 물에 깨끗이 씻고 분량의 물과 함께 냄비에 넣어 30분~1시간 정도 우린다.
2. ①의 냄비를 약한 불에 올린다.
3. 물이 끓어오르면 다시마를 건져내고 위로 뜨는 불순물을 깨끗이 제거한 후 중간 불에 5분 정도 더 끓인다.

* 쇠고기가 들어간 재료에는 쇠고기 육수를, 닭고기가 들어간 재료에는 닭고기 육수를 주로 사용하고 다시마 물은 육수를 대신해서 어떤 이유식에서든 모두 사용 가능합니다.

쇠고기청경채죽

“ 이유식을 일찍 시작한 아기라면 만 6개월, 늦게 시작한 아기라면 만 7개월 정도가 되면 중기 이유식을 시작합니다. 하루에 두 번씩 덩어리가 조금 있는 이유식을 먹기 시작하는데, 아기에 따라 잘 먹기도 하고 먹기 힘들어 하기도 하니 아기에게 맞춰서 이유식 덩어리와 묽기를 조절해 주세요. 아기가 먹기에 덩어리가 조금 큰 것 같으면 먹일 때 숟가락으로 으깨가면서 먹이시면 됩니다. ”

재 료

- ▢ 쌀 15g(1큰술)
- ▢ 쇠고기 15g(1큰술)
- ▢ 청경채(잎 부분) 10g (1과 1/3큰술)
- ▢ 육수 1과 1/4컵

* 쌀은 미리 20분 이상 물에 불린다.

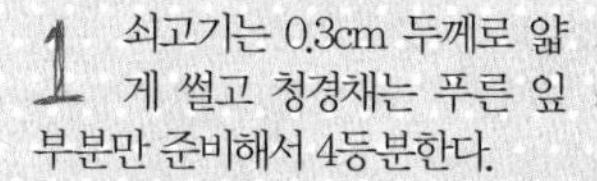

1 쇠고기는 0.3cm 두께로 얇게 썰고 청경채는 푸른 잎 부분만 준비해서 4등분한다.

2 육수는 냄비에 담아 끓인다.

3 육수가 끓어오르면 쇠고기와 청경채를 넣어 삶는다. 쇠고기를 먼저 건져내고 질긴 청경채는 조금 더 데친다.

4 익힌 쇠고기는 다진 다음 절구에 으깬다. 청경채는 0.3cm 크기로 다진 다음 쇠고기와 같이 절구에 으깬다.

5 불린 쌀은 믹서에 넣어 물을 조금 붓고 4초 정도 갈아서 1/4 정도 크기가 되게 한다.

6 쌀과 쇠고기, 청경채, 육수를 냄비에 넣고 센 불에서 주걱으로 저어가며 끓인다. 끓어오르면 약한 불로 줄여 쌀이 푹 퍼지도록 끓인다.

● **밥보다 쌀로 만든 이유식이 더 맛있어요.**
쌀 15g은 밥 30g과 같습니다. 밥으로 이유식을 만들 때는 육수의 양은 반으로 줄여주세요. 어른 죽도 밥으로 만든 죽보다 쌀로 끓인 죽이 더 맛있듯이 이유식도 쌀로 만든 이유식이 정성을 더 들인 만큼 훨씬 맛있어요.

● **중기부터는 잎채소를 체에 내리지 않아도 됩니다.**
아기가 소화하기 힘들어 하면 조금 더 잘게 다지고 절구에 많이 으깨세요. 청경채는 잎만 사용하기 때문에 10g의 청경채 잎을 구하려면 600g정도의 청경채를 구입하면 됩니다.

시금치닭고기죽

" 시금치는 철분과 엽산이 많고 섬유질이 풍부해서 빈혈 예방과 변비에 좋은 재료예요. 하지만 오래두고 먹으면 질산염이 증가하기 때문에 오히려 빈혈을 일으킬 수 있으니 금방 구입한 신선한 시금치로 이유식을 만들어주세요. 남은 시금치는 무침, 된장국, 샐러드, 계란말이, 잡채 등을 만들어 맛있게 드세요. "

재 료

- ☐ 쌀 15g(1큰술)
- ☐ 닭 안심 15g(1큰술)
- ☐ 시금치(잎부분) 10g(2/3큰술)
- ☐ 육수 1과 1/4컵

* 쌀은 미리 20분 이상 물에 불린다..

1 시금치는 줄기는 잘라내고 잎만 사용한다.

2 시금치 잎을 4등분 정도로 잘라 끓는 물에 익힌 후 0.3㎝ 크기로 다진 다음 절구에 으깬다.

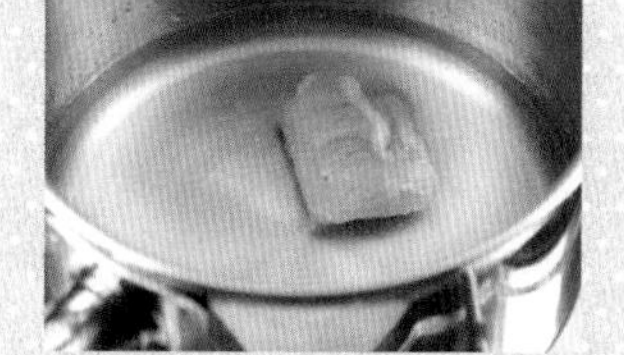

3 끓는 육수에 닭고기를 넣고 데친다.

4 데친 닭고기는 다진 다음 절구에 으깬다.

5 불린 쌀은 믹서에 물을 조금 붓고 4초 정도 갈아서 1/4 정도 크기가 되게 한다.

6 쌀과 닭고기, 육수를 냄비에 넣고 끓이다가 쌀이 다 익으면 시금치를 넣고 한소끔 끓인다.

● 시금치는 줄기가 긴 시금치를 사용하세요.

시금치는 잎이 넓고 줄기가 긴 시금치와 줄기가 짧고 끝부분이 붉은 것이 있어요. 줄기가 짧고 끝이 붉은 시금치는 단맛이 나고 고소하긴 하지만 조금 질기기 때문에 이유식용으로는 줄기가 긴 시금치가 적합합니다. 이유식을 시작하면 아기에게 다양한 맛을 보여주기 위해 평소에 잘 먹지 않는 재료를 많이 구입하게 되는데, 아기 덕분에 어른 반찬이 풍요롭고 다채로워질 수 있답니다.

브로콜리쇠고기죽·애호박쇠고기죽

아기에게 먹일 음식이라는 생각에 가장 좋은 재료를 구입하다 보면 비용도 만만치 않아요. 쇠고기 100g을 구입해 지방이나 근육 등을 제거하면 15g짜리 6덩어리 정도가 나온답니다. 브로콜리는 이미 한번 익혔기 때문에 마지막에 넣는 것이 좋아요. 쌀과 함께 넣어 익히면 초록색이 선명하게 나지 않으므로 쌀이 다 익은 후 마지막에 넣어주세요. **이유식은 맛도 중요하지만 아기 눈으로 보는 음식의 색도 중요합니다.**

브로콜리쇠고기죽

재 료

- ☐ 쌀 15g(1큰술)
- ☐ 쇠고기 15g(1큰술)
- ☐ 브로콜리 10g(1큰술)
- ☐ 육수 1과 1/4컵

* 쌀은 미리 20분 이상 물에 불린다.

1 쇠고기는 얇게 썰고, 브로콜리는 꽃만 떼어낸 후 육수에 함께 넣어 삶는다. 육수는 그대로 둔다.

2 쇠고기는 0.3㎝ 크기로 다진 후 절구에 으깬다.

3 브로콜리는 0.3㎝ 크기로 다지고, 불린 쌀은 믹서에 물을 조금 붓고 4초 정도 갈아서 1/4 정도 크기가 되게 한다.

4 ①의 육수에 쌀과 쇠고기를 넣고 끓이다가 쌀이 익으면 브로콜리를 넣고 한소끔 끓인다.

애호박쇠고기죽

재 료

- ☐ 쌀 15g(1큰술)
- ☐ 쇠고기 15g(1큰술)
- ☐ 애호박 10g(1/2큰술)
- ☐ 육수 1과 1/4컵

* 쌀은 미리 20분 이상 물에 불린다.

1 쇠고기는 얇게 썰어 끓는 육수에 익힌 다음 0.3㎝ 크기로 다지고 절구에 으깬다.

2 애호박은 얇게 썰어서 끓는 육수에 2분간 삶아 0.3㎝ 크기로 다져 절구에 으깬다.

3 불린 쌀은 믹서에 물을 조금 붓고 4초 정도 갈아서 1/4 정도 크기가 되게 한다.

4 냄비에 쌀과 쇠고기, 육수를 넣고 끓이다가 쌀이 다 익었으면 애호박을 넣고 한소끔 끓인다.

아욱쇠고기죽

“이유식을 시작하면 아기들의 변이 많이 달라집니다. 묽기의 차이는 크게 걱정할 필요 없지만 아기가 변비로 힘들어하면 옆에서 지켜보기가 괴로울 정도예요. 아욱은 변비를 예방하고 개선하는데 좋은 재료예요. 아기의 성장 발달에도 좋고 기침 감기에 걸렸을 때 먹이면 좋은 재료이기도 합니다.”

재 료

- 쌀 15g(1큰술)
- 쇠고기 15g(1큰술)
- 아욱(잎 부분) 10g(1/2큰술)
- 육수 1과 1/4컵

* 쌀은 미리 20분 이상 물에 불린다.

1 쇠고기는 얇게 썰어 끓는 육수에 삶은 뒤 0.3㎝ 크기로 다진 다음 절구에 으깬다.

2 아욱은 잎 부분만 잘라서 데친 다음 0.3㎝ 크기로 다져 절구에 으깬다.

3 불린 쌀은 믹서에 물을 조금 붓고 4초 정도 갈아서 1/4 정도 크기가 되게 한다.

4 냄비에 쌀과 쇠고기, 육수를 넣어 끓이다가 쌀이 익으면 아욱을 넣고 한소끔 끓인다.

● 아욱은 조금 질긴 편이라 오래 데치세요.

아욱은 잎이 커서 10g이면 잎 2장 정도예요. 미리 다져서 데친 후 체로 건져도 됩니다. 아기가 소화 시키는 것이 걱정이라면 잎맥 부분도 잘라내고 사용하세요. 남은 아욱은 마른 새우와 된장을 넣어서 아욱국으로 끓여 드시면 좋아요.

브로콜리당근닭고기죽

" 당근은 중기 이유식부터 사용하는 재료예요. 당근을 먹으면 아기 응가에 다진 당근이 그대로 나오는데 소화시키지 못한다고 걱정할 필요는 없습니다. **익힌 당근은 설사를 멈추게 하는 효과가 있으니 아기의 변이 묽은 경우 익힌 당근이 들어간 이유식을 먹이면 좋아요.** 브로콜리당근닭고기죽은 색감이 알록달록해서 아기들이 잘 먹는 이유식이에요. 그리고 감기 예방에도 좋답니다. "

재 료

- ☐ 쌀 15g(1큰술)
- ☐ 닭 안심 15g(1큰술)
- ☐ 브로콜리 10g(1큰술)
- ☐ 당근 5g(1/2큰술)
- ☐ 육수 1과 1/4컵

* 쌀은 미리 20분 이상 물에 불린다.

1 닭고기는 얇게 썰고 브로콜리는 꽃 부분만 떼어낸 후 끓는 육수에 2분 정도 데친다. 육수는 그대로 둔다.

2 얇게 썬 당근을 끓는 물에 3분 정도 삶은 다음 0.3㎝ 크기로 다져 절구에 으깬다.

3 데친 닭고기와 브로콜리는 0.3㎝ 크기로 다진 다음 각각 절구에 으깨고, 불린 쌀은 믹서에 물을 조금 붓고 4초간 갈아 1/4 정도 크기가 되게 한다.

4 ①의 육수에 쌀과 닭고기를 넣고 끓이다가 쌀이 다 익으면 브로콜리와 당근을 넣고 한소끔 끓인다.

● 당근은 채 썰어서 삶은 후 다지면 편해요.

당근을 고를 때 흙이 묻어 있고 머리 부분이 잘려져 있지 않으며 싹이 붙어 있는 것을 구입하세요. 머리 부분의 초록빛이 적게 돌고 몸이 붉은 당근일수록 맛있어요.
당근은 시금치처럼 오래 보관하면 질산염의 함유량이 높아져 빈혈을 일으킬 수 있으니 신선한 것만 사용하세요.

닭고기시금치양파죽

" 양파는 중기 이유식부터 사용하기 시작해요. 양파는 익히면 달콤한 맛이 나는데도 양파를 싫어하는 아이들이 많답니다. 편식하지 않는 아이로 키우고 싶다면 이유식 시기에 다양한 재료로 이유식을 만들어 주세요. 그렇게 하면 재료에 대한 편견이 생기지 않아서 뭐든지 잘 먹는 아이가 된답니다. "

재 료

- ▢ 쌀 15g(1큰술)
- ▢ 닭 안심 15g(1큰술)
- ▢ 양파 10g(1/2큰술)
- ▢ 시금치(잎부분) 5g(1/3큰술)
- ▢ 육수 1과 1/4컵

* 쌀은 미리 20분 이상 물에 불린다.

1 양파는 굵게 채 썰어 닭 안심과 함께 끓는 육수에 넣고 삶는다. 육수는 그대로 둔다.

2 시금치는 끓는 물에 데친 후 0.3㎝ 크기로 다진 다음 절구에 으깬다.

3 닭고기와 양파는 0.3㎝ 크기로 다지고 닭고기만 절구에 으깬다. 불린 쌀은 믹서에 물을 조금 붓고 4초 정도 갈아서 1/4 정도 크기가 되게 한다.

4 ①의 육수에 쌀과 닭고기, 양파를 넣고 끓이다가 쌀이 다 익으면 시금치를 넣고 한소끔 끓인다.

● 양파를 넣으면 고기의 잡냄새가 줄어요.

양파를 넣으면 이유식의 맛도 좋아지고 고기의 잡냄새도 줄일 수 있어요.

● 시금치는 마지막에 넣으세요.

쌀이 다 익은 후 마지막에 시금치를 넣는 이유는 일찍 넣으면 시금치의 색이 선명하지 않게 되기 때문이랍니다. 보기 좋은 이유식이 먹기에도 좋아요.

닭고기단호박양파죽

" 이 죽은 달콤한 맛이 나서 아기들이 잘 먹어요. 이유식을 먹일 때 "아~ 잘 먹네" 이런 멘트만 하지 마시고 "오늘은 닭고기와 단호박 그리고 양파가 들어간 이유식이야! 노란색이라서 예쁘지? 색이 예쁜 만큼 맛도 좋단다. 달콤한 맛이 날 거야!" 라고 설명해주세요. 어떤 음식인지 알고 먹게 하세요. 그렇게 해야 나중에 처음 보는 음식을 먹을 때도 그 재료가 무엇인지 설명해주면 거부감 없이 잘 먹는답니다. "

재 료

- ▢ 쌀 15g(1큰술)
- ▢ 닭 안심 15g (1큰술)
- ▢ 단호박 10g (1큰술)
- ▢ 양파 10g (1/2큰술)
- ▢ 육수 1과 1/4컵

* 쌀은 미리 20분 이상 물에 불린다.

1 단호박은 작게 썰고 양파는 0.3cm 크기로 채 썬다.

2 육수에 단호박을 넣고 끓이다가 단호박이 익으면 양파와 닭고기를 넣어 익힌다. 육수는 그대로 둔다.

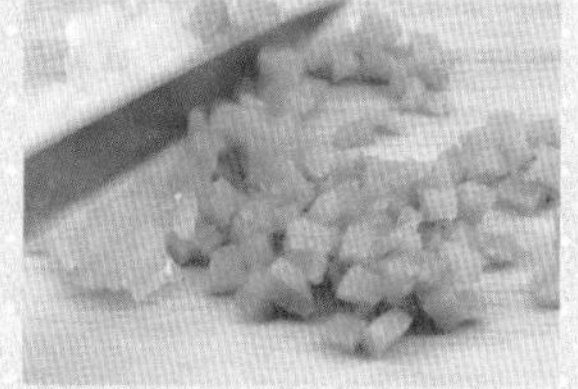

3 데친 단호박과 양파, 닭고기는 0.3cm 크기로 다진 후 절구에 으깨고, 불린 쌀은 믹서에 물을 조금 붓고 4초 정도 갈아서 1/4 정도 크기가 되게 한다.

4 ②의 육수에 쌀과 닭고기, 단호박, 양파를 넣어 끓이다가 쌀이 다 푹 익을 때까지 끓인다.

● 이유식을 만들 때 한 번 만들어서 반은 먹이고 반은 냉동 보관하세요!

중기 이유식부터는 하루에 두 번씩 먹이는데, 잘 먹는 아기나 혹은 중기 중반 이후부터는 세 번씩 먹기도 합니다. 이때 하루에 먹이는 이유식을 같은 이유식으로 먹일까, 다른 이유식으로 먹일까 고민하게 되는데 매 끼마다 새로운 것을 만들기는 힘이 들어요. 한번 만들어서 반은 먹이고 반은 냉동 보관하면 급할 때 요긴하게 사용할 수 있는 비상 이유식이 됩니다. 이유식 보관 통 뚜껑에 이유식 이름(들어간 재료), 만든 날짜를 꼭 적어두세요. 냉동 보관은 5일 동안 가능합니다.

닭고기고구마비타민죽

"아기에게 단맛을 일찍 알게 하는 것이 좋은 일은 아니지만 **아기가 입맛이 없다면 달콤한 재료로 이유식을 만들어주세요.** 닭고기고구마비타민죽은 단맛이 살짝 나면서 고소한 이유식이랍니다. 고구마와 비타민은 변비 예방은 물론 변비 완화에도 좋은 재료예요."

재 료

- 쌀 15g(1큰술)
- 닭 안심 15g(1큰술)
- 고구마 10g(2/3큰술)
- 비타민 5g(1/2큰술)
- 육수 1과 1/4컵

* 쌀은 미리 20분 이상 물에 불린다.

1 닭 안심은 얇게 썰어 끓는 육수에 삶고 0.3cm 크기로 다진 다음 절구에 으깬다.

2 고구마와 비타민은 얇게 썬 다음 각각 0.3cm 크기로 다진다.

3 불린 쌀은 믹서에 물을 조금 붓고 4초 정도 갈아서 1/4 정도 크기가 되게 한다.

4 냄비에 쌀과 닭고기, 고구마, 육수를 넣고 끓이다가 쌀이 다 익으면 비타민을 넣고 한소끔 끓인다.

● 고구마는 잘게 잘라 삶으면 빨리 익어요.

고구마는 통째로 쪄서 분량 만큼 덜어내 이유식을 만들고 나머지는 간식으로 먹어도 좋아요. 이유식 만드는 시간을 단축하고 싶다면 작게 잘라 익혀주세요.

● 비타민 줄기는 아직 사용하지 마세요.

비타민은 줄기에 섬유질이 많고 질기기 때문에 아기가 소화하기에는 무리랍니다.

배추감자쇠고기죽

"배추는 감기에 걸렸을 때 먹여도 좋고 변비에 걸렸을 때 먹여도 좋은 재료예요. 배추와 같은 잎채소를 이유식으로 잘 먹이면 나중에 커서 배추쌈 같은 음식도 거부감 없이 잘 먹게 된답니다. 이유식을 만들고 남은 배추는 배추쌈으로 먹거나 배춧국으로 끓여 드세요. 특히 배추는 변비와 탈모에도 좋은 재료이니 엄마들도 챙겨드세요."

재 료

- ▢ 쌀 15g(1큰술)
- ▢ 쇠고기 15g(1큰술)
- ▢ 배춧잎 5g(1/2큰술)
- ▢ 감자 10g(1/2큰술)
- ▢ 육수 1과 1/4컵

* 쌀은 미리 20분 이상 물에 불린다.

1 쇠고기는 얇게 썰어 끓는 육수에 삶고 0.3㎝ 크기로 다진 다음 절구에 으깬다.

2 배춧잎은 가운데 도톰한 부분은 잘라 내고 연한 잎만 0.3㎝ 크기로 다진다. 감자는 0.3㎝ 크기로 다진다.

3 불린 쌀은 믹서에 물을 조금 붓고 4초 정도 갈아서 1/4 정도 크기가 되게 한다.

4 냄비에 쌀과 쇠고기, 감자, 육수를 넣고 끓이다가 쌀이 다 익으면 배추를 넣고 한소끔 끓인다.

● 배추는 부드러운 노란색 잎 부분을 사용하세요.

배추의 가운데 하얀 줄기 부분은 질기기 때문에 사용하지 마시고 부드러운 노란색 잎 부분만 사용하세요. 자를 때 V자로 하얀 줄기를 잘라내면 됩니다.

● 배추는 들었을 때 묵직하고 겉 잎이 버릴 것 없이 붙어있는 게 좋아요.

흰 줄기 부분에 검은 반점이 없고 줄기를 눌러봤을 때 단단하고 수분이 많은 배추가 좋은 배추랍니다. 하지만 배추는 오래 보관하면 질산염의 함량이 높아져서 빈혈을 일으킬 수도 있으니 신선한 것만 사용하세요.

옥수수감자양파수프 완두콩감자양배추수프

감기에 좋은 이유식

"감자, 양배추, 양파를 이용한 감기 예방과 완화에 좋은 이유식 두 가지예요. 감기에 걸리면 식욕도 떨어지고 목도 부어서 음식을 넘기기가 쉽지 않은데, 이 두 수프는 고소하면서 부드러워 아기들이 먹기에 좋답니다. 옥수수는 알레르기가 있는 아기의 경우 돌 이후에 먹이세요."

옥수수감자양파수프

완두콩감자양배추수프

옥수수감자양파수프

재 료

- 옥수수 알 40g(4큰술)
- 감자 80g(8큰술)
- 양파 15g(3/4큰술)
- 모유(분유 물) 2/5컵(80cc)

1 옥수수 알은 끓는 물에 삶은 후 체에 내려 껍질을 제거한다.

2 감자는 푹 삶은 다음 절구에 으깬다.

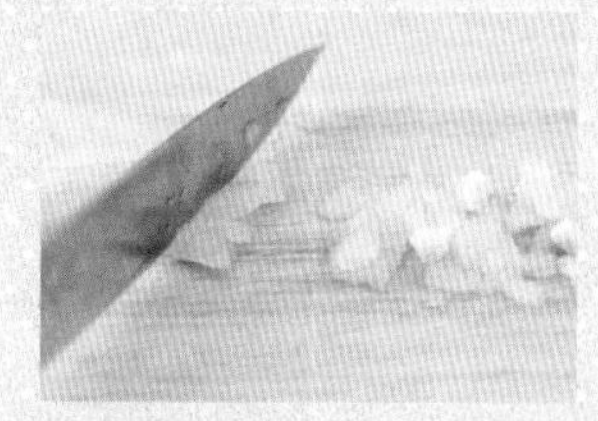

3 양파는 0.3cm 크기로 채 썬 다음 끓는 물에 삶고 사방 0.3cm 크기로 다진다.

4 옥수수, 감자, 양파에 모유(분유 물)를 넣고 1~2분 정도 끓인다.

완두콩감자양배추수프

재 료

- 완두콩 20g(1과 1/4큰술)
- 감자 80g(8큰술)
- 양배추 15g(1과 1/2큰술)
- 모유(분유 물) 2/5컵(80cc)

1 완두콩은 삶아서 껍질을 벗긴 후 절구에 으깬다.

2 감자는 푹 삶은 다음 절구에 으깬다.

3 양배추는 연한 잎 부분만 잘라내 0.3cm 크기로 채 썬 다음 끓는 물에 7분 정도 데친 후 잘게 다진다.

4 완두콩, 감자, 양배추에 모유(분유 물)를 넣고 1~2분 정도 끓인다.

쇠고기양배추당근죽

" 중기 이유식부터는 하루에 한 번 정도 간식을 먹이는데, 매일 고구마와 감자만 먹일 수는 없고 간식으로 무엇을 먹일까 고민을 많이 하게 됩니다. 그래서 마트나 인터넷에서 판매하는 아기용 과자를 사먹이게 되는데 먹이기 전 성분을 꼭 확인하세요. 첫 과자는 유기농 숍에서 파는 쌀떡이나 쌀튀밥으로 만든 뻥튀기가 좋아요. 친환경 쌀로 만들어졌고, 아무 것도 첨가되지 않아서 알레르기 위험도 적답니다. "

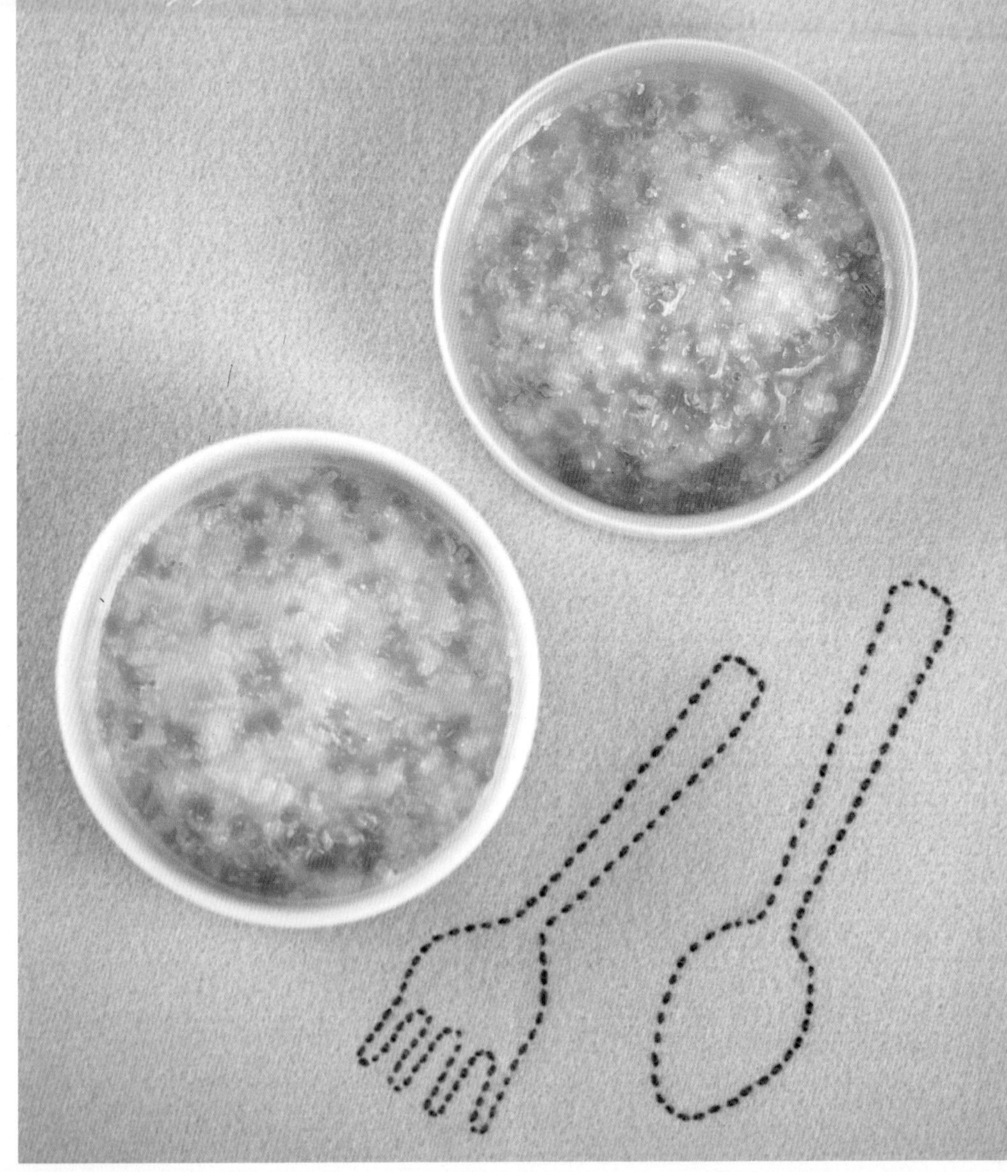

재 료

- ☐ 쌀 15g(1큰술)
- ☐ 쇠고기 15g(1큰술)
- ☐ 당근 10g(1큰술)
- ☐ 양배추 5g(1/2큰술)
- ☐ 육수 1과 1/4컵

* 쌀은 미리 20분 이상 물에 불린다.

1 쇠고기는 얇게 썰어 끓는 육수에 익힌 다음 0.3cm 크기로 다진 후 절구에 으깬다.

2 당근과 양배추는 0.3cm 크기로 채 썬 다음 끓는 물에 삶아 0.3cm 크기로 다진다.

3 불린 쌀은 믹서에 물을 조금 붓고 갈아서 1/3 정도 크기가 되게 한다.

4 냄비에 쌀과 쇠고기, 육수를 넣고 끓이다가 쌀이 다 익으면 당근과 양배추를 넣고 한소끔 끓인다.

● 쌀알의 크기를 조금씩 크게 만들어주세요.

중기 이유식 중반에 들어서면서 쌀알의 크기를 조금씩 크게 만드세요.
믹서에 조금 덜 갈면 됩니다. 시기에 맞게 재료별 크기가 정해져 있다고 해서 갑자기 크기를 늘릴 수는 없어요. 조금씩 아기에게 맞춰가며 엄마가 재료의 크기를 조절하세요.

브로콜리수프

“브로콜리수프는 밥을 잘 먹지 않는 아기에게 먹이기 좋은 이유식이에요. 또한 감기와 변비에도 좋은 이유식이랍니다. 수프를 만들 때는 주로 감자를 많이 넣어서 만드는데, 그 이유는 밀가루를 대신해서 감자로 수프의 농도를 맞출 수 있기 때문이에요. 감자나 고구마를 기본으로 다양한 재료를 응용해서 수프를 만들어 주셔도 좋아요.”

재 료

- ☐ 감자 80g(8큰술)
- ☐ 브로콜리 20g(2큰술)
- ☐ 양파 15g(3/4큰술)
- ☐ 모유(분유 물) 2/5컵(80cc)

1 감자는 껍질을 벗기고 삶거나 찐 후 으깬다.

2 브로콜리는 흐르는 물에 깨끗이 씻어 끓는 물에 3분간 삶은 후 다진다.

3 양파는 채 썰어 끓는 물에 삶고 0.3㎝ 크기로 다진다.

4 냄비에 감자, 브로콜리, 양파에 모유(분유 물)를 넣고 1~2분 정도 끓인다.

● 모유(분유 물)는 살짝 끓이세요.

모유(분유 물)는 오랫동안 끓이면 영양분이 다 파괴되므로 한 번 부르르 끓으면 불을 끄세요. 재료들은 미리 다 익혔기 때문에 한소끔만 끓여도 괜찮답니다.

오이쇠고기감자죽

" 이유식 만들 때 꼭 필요한 도구는 아니지만 있으면 편리한 도구가 바로 매셔예요. 흔히 '감자 으깨기'라고도 합니다. 온·오프라인 매장에서 쉽게 구할 수 있는 도구로 찐 감자나 찐 고구마 등을 으깰 때 사용하지만, 이유식을 끓일 때 매셔로 으깨면서 끓이면 재료의 크기를 작게 조절할 수 있어 편리해요. "

재 료

- 쌀 15g(1큰술)
- 쇠고기 15g(1큰술)
- 감자 10g(1큰술)
- 오이 10g(1/3큰술)
- 육수 1과 1/4컵

* 쌀은 미리 20분 이상 물에 불린다.

1 쇠고기는 얇게 썬 후 끓는 육수에 삶아 0.3㎝ 크기로 다진 다음 절구에 으깬다.

2 감자는 껍질을 벗기고, 오이는 껍질과 씨를 제거한 후 각각 0.3㎝ 크기로 다진다.

3 불린 쌀은 믹서에 물을 조금 붓고 갈아서 1/3 정도 크기가 되게 한다.

4 냄비에 쌀과 쇠고기, 감자, 오이, 육수를 넣고 쌀이 푹 퍼질 때까지 끓인다.

- **이유식을 만들 때 오이는 껍질과 씨를 제거하세요.**

오이 껍질을 벗기고 열십자(+)로 자른 다음 가운데 씨를 잘라내세요. (p.51 참고.)

아욱감자쇠고기죽

"이유식을 얼마나 먹여야 하는지, 다른 집 아기들은 얼마나 먹는지, 지금 이유식을 제대로 먹이고 있는건지 고민이 되실거예요. 중기 이유식에서는 한 끼에 60~120cc 정도 먹으면 순조롭다고 할 수 있어요. 하지만 **아기들마다 받아들이는 양은 다르므로 다른 아기들과 비교해 적게 먹는다고 스트레스 받지 마세요.** 아기들은 잘 먹다가도 안 먹고, 안 먹다가도 잘 먹기도 하니 느긋한 마음으로 길게 내다보세요."

재 료

- 쌀 15g(1큰술)
- 쇠고기 15g(1큰술)
- 감자 10g(1큰술)
- 아욱 10g(1/2큰술)
- 육수 1과 1/4컵

* 쌀은 미리 20분 이상 물에 불린다.

1 쇠고기는 얇게 썬 후 끓는 육수에 삶아 0.3㎝ 크기로 다진 다음 절구에 으깬다.

2 감자와 아욱은 0.3㎝ 크기로 다진다.

3 불린 쌀은 믹서에 물을 조금 붓고 갈아서 1/3 정도 크기가 되게 한다.

4 쌀과 쇠고기, 감자, 아욱, 육수를 냄비에 넣고 쌀이 푹 익을 때까지 끓인다.

● 아욱은 빈혈과 변비에 좋은 재료예요.
좋은 아욱은 잎이 넓고 부드러우며 짙은 연두색을 띠고 있어요. 줄기가 굵고 연한 것으로 고르세요. 아욱은 조금 질긴 편이니 다른 잎채소보다 조금 더 오래 익히세요.

● 아기들이 잘 안 먹을 때는 이유가 있어요.
이가 날 때, 행동발달 과정에서 새로운 것을 연습하고 시도할 때, 감기에 걸렸을 때, 입 안이 헐었을 때, 변비로 응가를 못했을 때 그리고 빈혈이 있을 때 등이 있습니다.

애호박바나나사과수프 변이 묽은 아기를 위한 이유식

" 이 수프는 평소에 그냥 먹여도 좋지만 속이 좋이 않아서 묽은 변을 보는 아기에게 좋은 이유식이에요. 애호박은 장을 편안하게 하고 바나나와 익힌 사과는 묽은 변을 정상 변으로 만들어주는데 도움을 주는 재료랍니다. 먹기에 부담도 없고 달콤한 맛이 나는 이유식이라 컨디션이 좋지 않은 아기나 입맛이 없는 아기에게 먹이면 좋습니다."

재 료

- ☐ 애호박 30g(1과 1/2큰술)
  (껍질과 씨를 제거한 무게)
- ☐ 바나나 1개(3큰술)
- ☐ 사과 20g(1과 1/3큰술)
- ☐ 모유(분유 물) 1/2컵
- ☐ 물 1/8컵(30cc)

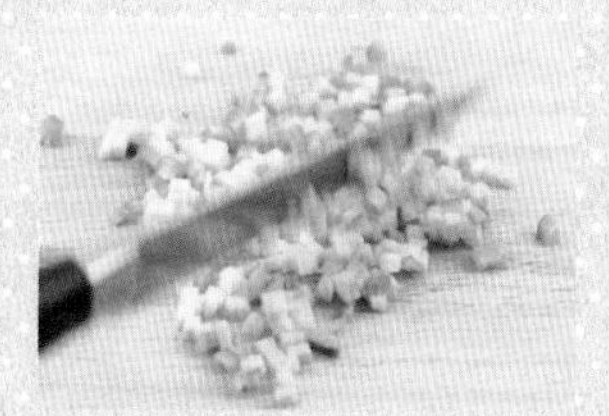

1 애호박은 0.3㎝ 크기로 다진 다음 삶는다.

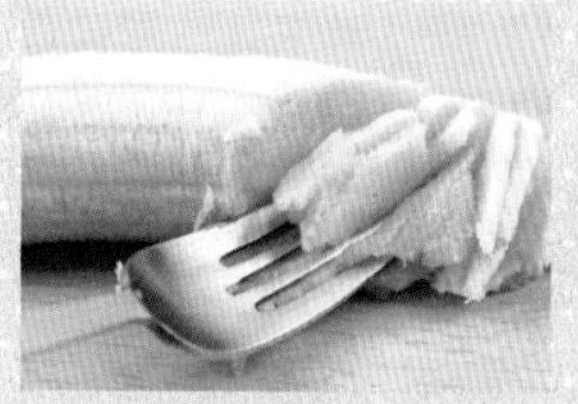

2 바나나는 껍질을 벗겨 양끝을 자르고 포크로 으깬다.

3 사과는 강판에 간다.

4 냄비에 애호박과 바나나, 사과에 물을 붓고 끓이다가 사과가 다 익으면 모유(분유 물)를 넣고 한소끔 끓인다.

- **바나나는 양쪽 끝을 잘라내고 먹이세요.**

아기 간식으로 바나나를 많이 먹이는데, 바나나는 유통 과정에서 약품 처리로 인해 몸에 해로울 수 있습니다. 되도록 유기농 바나나를 구입하고, 여의치 않으면 양끝을 조금씩 잘라내고 먹이세요.

구기자물·구기자닭죽 입맛 없는 아기를 위한 이유식

"아기가 이유식을 잘 먹지 않아서 속상하시다면 구기자를 이용해 보세요.
아기들이 입맛이 없을 때, 입맛을 돌게 해주는 재료가 바로 구기자랍니다.
구기자로 차를 끓여서 그냥 물처럼 먹여도 좋고, 구기자 물을 육수 대신 사용해도 좋아요. 구기자 물을 넣은 이유식은 살짝 단맛이 돌면서 감칠맛이 납니다.
구기자닭죽은 몸이 아파서 입맛을 잃은 아기에게 먹이기 좋은 보양 이유식이에요."

구기자물

재 료

- ☐ 마른 구기자 8g(1큰술)
- ☐ 물 4컵

1 마른 구기자는 깨끗이 씻어 냄비에 담고 분량의 물을 부어 실온에서 20분 정도 불린 후 센 불에서 끓인다.

2 끓어오르면 아주 약한 불로 줄여 물의 양이 2/3 정도로 줄 때까지 끓인 후 체에 거른다.

구기자닭죽

재 료

- ☐ 닭 안심 15g(1큰술)
- ☐ 쌀 20g(1과 1/3큰술)
- ☐ 찹쌀 5g(1/3큰술)
- ☐ 구기자 물 1과 1/2컵

1 쌀과 찹쌀은 미리 20분 이상 불린다.

2 닭 안심은 끓는 구기자 물에 삶은 다음 0.3㎝ 크기로 다진다.

3 불린 쌀과 찹쌀은 믹서에 넣고 2초 정도 간다.

4 냄비에 쌀과 찹쌀, 닭 안심에 구기자 물을 넣고 쌀이 푹 퍼질 때까지 끓인다.

● **구기자는 색이 선명한 것으로 고르세요.**

구기자는 대형 마트나 재래시장의 약재상, 인터넷으로도 쉽게 구할 수 있습니다. 색이 붉고 벌레 먹은 것이 없는 것을 고르세요.

구기자대추죽

“ 구기자대추죽은 저희 아기가 장염에 걸린 이후 입맛을 잃었을 때 이유식을 다시 시작하는 마음으로 만들어 먹였던 이유식이에요. **대추는 빈혈, 설사에 좋고 감기에도 좋은 재료이며 잠도 잘 오게 한답니다.** 찹쌀과 대추를 넣어 끓인 구기자대추죽은 대추와 구기자의 달콤한 맛 때문에 아기들이 잘 먹어요. 몸이 아파서 먹기 힘들어 하는 아기들이 부담 없이 먹는 이유식이랍니다. ”

재 료

- 쌀 20g(1과 1/3큰술)
- 찹쌀 10g(2/3큰술)
- 대추 5개
- 구기자 물 1과 1/4컵

* 쌀과 찹쌀은 미리 20분 이상 물에 불린다.

1 대추는 깨끗이 씻어 돌려 깍아 씨를 뺀 다음 채 썬다.

2 구기자 물을 끓이다가 대추를 넣어 삶고 체에 내린다.

3 불린 쌀과 찹쌀은 믹서에 2초 정도 간다.

4 쌀과 찹쌀, 대추에 구기자 물을 붓고 쌀이 다 퍼질 때까지 끓인다.

● 구기자대추죽에 닭 안심을 첨가하면 보양 이유식이 됩니다.
대추는 체에 내리는 게 번거롭다면 믹서에 갈아도 되지만 믹서에 갈 경우 껍질이 조금 까칠하게 느껴질 수도 있어요. 되도록이면 체에 내려서 껍질을 한번 걸러주세요. 여기에 닭 안심을 삶아 다진 후 넣으면 보양 이유식으로 그만입니다.

● 입 맛 없을 때 먹이기 좋은 이유식이에요.
평소 아기가 잘 안 먹거나, 감기에 걸렸을 때, 장염에 걸렸을 때, 그리고 잠을 잘 안 잘 때 먹이기 좋은 이유식입니다.

연두부브로콜리닭고기죽

" 두부는 7개월 정도부터 먹일 수 있는 재료예요. 하지만 알레르기가 있다면 돌 이후에 먹이세요. 연두부와 일반 두부는 성분이나 영양의 차이는 없습니다. 이유식에 연두부를 사용하는 이유는 일반 두부에 비해 질감이 부드러워 아기가 먹기에 부담이 없기 때문입니다. "

재 료

- ☐ 쌀 15g(1큰술)
- ☐ 찹쌀 5g(1/3큰술)
- ☐ 닭 안심 10g(2/3큰술)
- ☐ 연두부 10g(1/2큰술)
- ☐ 브로콜리 5g(1/2큰술)
- ☐ 양파 5g(1/4큰술)
- ☐ 육수 1과 1/4컵

* 쌀은 미리 20분 이상 물에 불린다.

1 닭 안심은 얇게 썰어 끓는 물에 삶은 다음 0.3cm 크기로 다진다.

2 브로콜리와 양파는 끓는 육수에 넣고 삶은 다음 다진다.

3 불린 쌀과 찹쌀은 믹서에 2초 정도 간다.

4 쌀과 찹쌀, 브로콜리, 양파, 닭고기, 연두부에 육수를 붓고 쌀이 다 퍼질 때까지 끓인다.

● 두부를 살 때는 성분을 꼭 확인하세요.

두부를 구입할 때는 소포제 등의 첨가물과 유전자 변형식품 여부(GMO-Free)를 확인하세요. 남은 연두부는 간장 소스를 뿌려 드셔도 좋고 순두부찌개나 달걀찜, 김치찌개에 넣어 드셔도 맛있어요.

쇠고기양파감자청경채수프

“ 쇠고기를 넣은, 빈혈에 좋은 수프예요. 평소 모유나 분유를 잘 먹고 이유식도 잘 먹는다면 굳이 빈혈 걱정은 하지 않아도 됩니다. 하지만 모유를 먹는 아기의 경우 빈혈에 걸릴 위험이 높으니 엄마도 평소 몸에 좋은 음식들을 많이 챙겨 드시고 아기도 쇠고기나 채소 등 철분이 많이 들어간 음식을 잘 챙겨 먹여야 해요. ”

재 료

- 쇠고기 15g(1큰술)
- 감자 40g(2큰술)
- 양파 20g(1큰술)
- 청경채 5g(1작은술)
- 모유(분유 물) 1/2컵

1 쇠고기는 찬물에 담가 핏물을 빼고, 감자는 작게 썬다. 감자와 쇠고기는 끓는 물에 삶는다.

2 쇠고기는 먼저 건져낸 후 0.3cm 크기로 다지고 감자는 푹 삶은 후 건져내 으깬다.

3 끓는 물에 양파와 청경채를 넣고 데친 다음 다진다.

4 냄비에 쇠고기, 양파, 감자, 청경채에 모유(분유 물)를 넣고 한소끔 끓인다.

● 청경채는 잎 부분만 사용하세요.
중기 이유식의 중반을 넘어서면서 재료의 크기가 조금 커졌지만 질긴 줄기 부분은 아직 무리랍니다. 줄기를 잘라내고 연한 잎 부분만 사용하세요.

● 쇠고기는 덩어리째 삶으세요.
쇠고기는 미리 다진 다음 익히면 크기를 가늠하기가 어렵기 때문에 삶은 다음 다지는 게 좋아요.

현미단호박배추쇠고기죽

“현미는 아기 두뇌 발달에 좋은 재료지만 거칠기 때문에 소화가 잘 안 된다는 단점도 있어요. 발아현미로 이유식을 만들면 일반 현미보다 부드럽고 식이섬유의 함량도 높아서 좋답니다. 알레르기가 있는 아기의 경우 발아현미를 기름 없이 볶아서 익힌 다음 물을 넣고 차로 끓여 먹여도 좋습니다.”

재 료

- ☐ 쌀 15g(1큰술)
- ☐ 현미 5g(1/3큰술)
- ☐ 쇠고기 15g(1큰술)
- ☐ 단호박 15g(1과 1/2큰술)
- ☐ 배춧잎 10g(3큰술)
- ☐ 육수 1과 1/2컵

* 쌀과 현미는 미리 20분 이상 물에 불린다.

1 쇠고기는 얇게 썰어 끓는 육수에 삶은 뒤 0.3cm 크기로 다진다.

2 단호박은 껍질을 벗긴 후 0.4cm 크기로 다지고 배춧잎도 0.4cm 크기로 다진다.

3 불린 현미를 먼저 믹서에 넣고 1초 정도 간 다음 불린 쌀을 넣고 쌀알이 1/3 정도 크기가 되도록 간다.

4 쌀과 현미, 단호박, 배추, 쇠고기에 육수를 붓고 쌀이 다 퍼질 때까지 끓인다.

● 현미는 백미보다 조금 더 오래 물에 불리세요.
현미는 백미보다 단단하기 때문에 물에 좀 더 오래 불려야 합니다. 현미는 백미보다 더 작게 갈아서 이유식을 만들어야 아기가 먹기에 부담이 없답니다. 적미도 건강에 좋으니 적미를 구입할 수 있으면 현미 대신 적미를 사용해도 좋아요.

● 쌀알의 크기를 조금씩 늘려주세요.
중기 이유식 중반에 들어서면 쌀의 크기를 조금씩 늘려주세요. 아기에게 맞춰서 조금씩 재료의 크기를 조절해주는 것이 좋아요.

옥수수연두부양파수프

"옥수수와 연두부는 알레르기를 일으킬 수 있으니 옥수수연두부양파수프는 알레르기가 있는 아기의 경우 돌 이후에 먹이세요. 옥수수가 나는 계절이라면 옥수수 한 자루를 쪄서 알만 떼어낸 다음 믹서에 갈면 됩니다. 찐 옥수수를 그냥 아기에게 주지 마세요. 잘못하면 목에 걸려서 위험할 수도 있답니다."

재 료

- 옥수수 알 60g(5큰술)
- 연두부 60g(3큰술)
- 양파 20g(1큰술)
- 모유(분유 물) 1/4컵(60cc)

1 옥수수 알은 끓는 물에 익힌 다음 물을 조금 넣고 믹서에 간다.

2 연두부는 절구에 으깬다.

3 양파는 끓는 물에 삶아서 잘게 다진다.

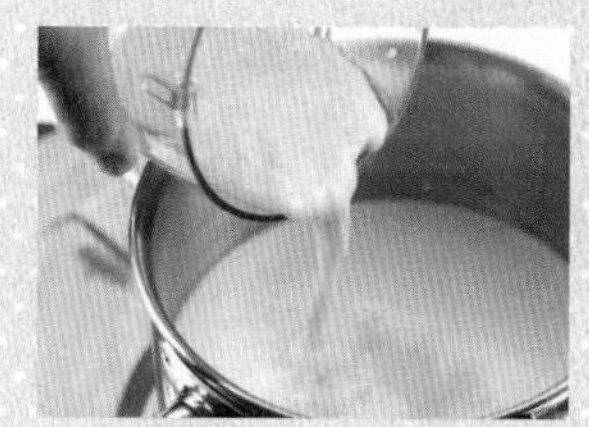

4 냄비에 연두부, 양파, 옥수수를 넣고 끓이다가 모유(분유 물)를 넣어 한소끔 끓인다.

● 옥수수 알은 익힌 다음 체에 내려도 좋아요.
아기가 옥수수 껍질을 먹기 부담스러워 한다면 옥수수 알을 익힌 다음 체에 내려서 껍질을 걸러주세요. 연두부를 으깨는 게 번거롭다면 냄비에 넣어서 주걱으로 으깨가며 끓여도 됩니다.

● 옥수수는 유기농 냉동 옥수수를 구입하세요.
온·오프라인 유기농 숍에서 유기농 옥수수를 소포장으로 팔아요. 제철이 아닐 때는 냉동 옥수수를 구입하세요.

콜리플라워쇠고기라이스수프

"콜리플라워는 비타민 C가 풍부하게 들어있어서 면역력 증진에 좋아요. 그리고 감기에 걸렸을 때 먹이기에도 좋은 이유식이랍니다. 콜리플라워는 오랫동안 열을 가해도 비타민 파괴가 적고 변비와 빈혈 예방에 좋은 재료예요. 삶으면 감자처럼 부드러워져서 식감도 좋아요."

재 료

- ☐ 쌀 20g(1과 1/3큰술)
- ☐ 쇠고기 15g(1큰술)
- ☐ 콜리플라워 10g(1/2큰술)
- ☐ 양파 5g(1/4큰술)
- ☐ 옥수수알 10g(1/2큰술)
- ☐ 물 1컵
- ☐ 모유(분유 물) 1/4컵(60cc)

* 쌀은 미리 20분 이상 물에 불린다.

1 쇠고기는 얇게 썬다. 분량의 물을 끓이다가 쇠고기를 넣어 삶은 후 0.3㎝ 크기로 다진다.

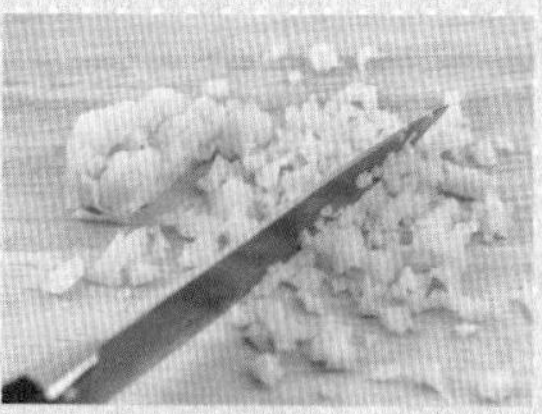

2 쇠고기 삶은 물에 콜리플라워와 양파를 넣고 삶아 0.4㎝ 크기로 다진다. 남은 물은 냄비에 그대로 둔다.

3 옥수수 알은 끓는 물에 삶고 체에 내려 껍질을 제거한다. 불린 쌀은 믹서에 갈아 1/3 정도 크기가 되게 한다.

4 ②의 냄비에 쌀과 쇠고기, 콜리플라워, 양파, 옥수수를 끓이다가 쌀이 다 익으면 모유(분유 물) 넣고 한소끔 끓인다.

● 콜리플라워는 잎이 붙어있고 묵직하며 단단한 것으로 고르세요.
꽃의 끝부분이 검게 변하지 않은 것이 싱싱한 콜리플라워랍니다. 촘촘해서 씻는 게 쉽지 않지만 흐르는 물에 깨끗이 씻으세요.

연근연두부닭고기죽

“연근은 아기가 열 감기에 걸렸을 때나 소화 기관에 이상이 있을 때 먹이면 좋은 재료예요. 연근으로 이유식을 만들 때는 양 끝을 잘라내고 사용하세요. 아기가 알레르기가 있다면 두부는 제외하고 연근과 닭고기만 넣어서 이유식을 만들어주세요. 연근은 아삭하기 때문에 믹서에 곱게 갈아서 이유식에 넣어주세요. 갈아도 연근 특유의 상큼하고 아삭한 느낌은 살아있답니다.”

재 료

- ☐ 쌀 15g(1큰술)
- ☐ 연근 15g(0.5cm)
- ☐ 닭 안심 15g(1큰술)
- ☐ 연두부 15g(3/4큰술)
- ☐ 육수 1과 1/4컵
- ☐ 식초 약간

* 쌀은 미리 20분 이상 물에 불린다.

1 연근은 식촛물에 담가 쓴 맛을 없앤다.

2 믹서에 물을 조금 붓고 연근을 갈다가 불린 쌀을 넣고 한번 더 간다.

3 닭 안심은 끓는 육수에 넣고 삶은 다음 0.3cm 크기로 다진다.

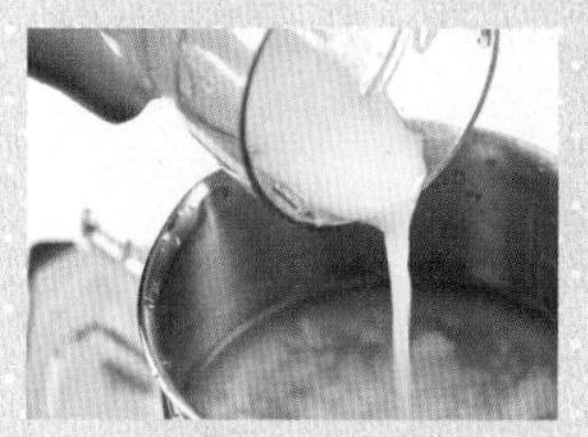

4 쌀과 연근, 연두부, 닭고기에 육수를 붓고 쌀이 다 퍼질 때까지 끓인다.

● 연근의 쓴맛을 제거하기 위해 사용하는 식초는 천연 양조식초를 사용하세요.

식초는 양조식초와 합성 식초로 분류되는데, 좋은 식초는 100% 자연 발효된 천연 양조식초랍니다. 영양분이 없는 합성 식초를 사용하지 마시고, 되도록 첨가물 없이 과실이나 곡물만으로 만든 천연 양조식초를 사용하는 게 좋아요.

검은콩쇠고기비타민죽

" 중기 이유식부터는 콩류는 다 먹을 수 있지만 알레르기가 있는 아기의 경우 돌이 지난 후 먹이는 것이 좋아요. 검은콩을 넣어 만든 이유식은 밤을 넣은 것처럼 고소하고 달콤한 맛이 납니다. 검은콩은 뼈를 튼튼하게 해주기 때문에 한참 자라는 아기들에게 좋아요. 탈모, 비만으로 고생하는 엄마들에게도 좋은 재료랍니다. "

재 료

- ☐ 쌀 15g(1큰술)
- ☐ 검은콩 10g(1큰술)
- ☐ 쇠고기 15g(1큰술)
- ☐ 비타민 10g(1큰술)
- ☐ 육수 1과 1/4컵

* 쌀은 미리 20분 이상 물에 불린다.

1 검은콩은 찬물에 담가 1시간 이상 불린다.

2 불린 콩은 물에 삶은 다음 체에 내린다.

3 쇠고기는 끓는 육수에 삶아 다지고, 쇠고기 삶은 육수에 비타민을 데친 다음 다진다. 육수는 냄비에 그대로 둔다.

4 불린 쌀은 믹서에 간 다음 ③의 냄비에 넣고 쇠고기와 검은콩, 비타민을 넣어 끓이다가 쌀이 다 익을 때까지 끓인다.

● 콩을 삶을 때 나오는 흰 거품은 사포닌 성분이므로 걷어내지 마세요.
콩은 완전히 삶아질 때까지 시간이 오래 걸리기 때문에 콩이 푹 잠길 정도로 물을 넉넉하게 부어서 삶아주세요. 미리 많은 양을 불려서 살짝 삶아 냉동 보관하면 콩밥을 해먹기 편합니다.

● 불리지 못한 콩은 전자레인지에 6분 정도 익히세요.
시간이 없어 콩을 미리 불리지 못했다면 콩이 푹 잠길 정도로 물을 붓고 전자레인지에 넣어 6분 정도 익히세요.

달걀시금치당근브로콜리죽

“ 달걀노른자는 중기부터 먹일 수 있는 재료로 만 7개월 정도 되었을 때 먹이면 적당해요. 알레르기가 있는 아기의 경우 돌 이후에 먹이세요. 흰자는 알레르기를 일으킬 위험이 높으므로 노른자만 먼저 먹이고, 흰자는 돌 이후에 먹이세요. 노른자를 먹일 때는 반드시 완숙으로 익혀서 먹여야 합니다. ”

재 료

- ☐ 쌀 15g(1큰술)
- ☐ 달걀노른자 1개 분량
- ☐ 시금치 10g(2/3큰술)
- ☐ 당근 10g(1큰술)
- ☐ 브로콜리 5g(1/2큰술)
- ☐ 육수 1과 1/4컵

* 쌀은 미리 20분 이상 물에 불린다.

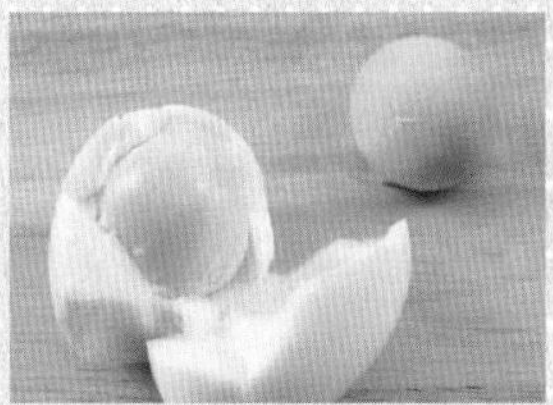

1 달걀은 삶아서 노른자만 분리한 후 체에 내린다.

2 시금치와 당근, 브로콜리는 끓는 물에 삶아 다진다.

3 불린 쌀은 믹서에 2초 정도 간다.

4 냄비에 육수를 붓고 쌀과 시금치, 당근, 브로콜리를 넣어 끓이다가 쌀이 다 익으면 달걀노른자를 넣고 한소끔 끓인다.

● **달걀은 신선한 것으로 고르세요.**

달걀을 고를 때는 무항생제, 무성장촉진제라고 적힌 달걀을 고르세요. 신선한 달걀은 껍질 부분이 까칠하며 달걀노른자를 손끝으로 집어도 터지지 않습니다.

표고고구마달걀당근죽

“이 죽은 빈혈에 좋은 이유식이에요. 표고버섯은 생표고버섯보다 건표고버섯이 영양이 더 풍부합니다. 표고버섯을 햇볕에 말릴 때 생기는 비타민 D가 칼슘과 칼륨의 흡수를 돕는데, 시판되는 표고버섯은 햇볕에 말리지 않고 건조기에 말리기 때문에 비타민 D가 생기지 않아요. 표고버섯은 질기기 때문에 다른 재료보다 작게 잘라주세요.”

재 료

- ☐ 쌀 20g(1과 1/4큰술)
- ☐ 표고버섯 15g(3큰술)
- ☐ 고구마 10g(2/3큰술)
- ☐ 달걀노른자 1개 분량
- ☐ 당근 5g(1/2큰술)
- ☐ 육수 1과 1/4컵

* 쌀은 미리 20분 이상 물에 불린다.

1 불린 쌀은 믹서에 2초 정도 간다.

2 표고버섯은 0.2~0.3㎝ 크기로 잘게 다지고 고구마, 당근은 0.4㎝ 크기로 다진다.

3 냄비에 육수를 붓고 쌀과 고구마, 당근, 표고버섯을 넣어 끓이다가 쌀이 다 익으면 불을 끄고 달걀노른자를 풀어 넣는다.

4 불을 다시 켠 후 달걀노른자가 익을 때까지 저으면서 한번 더 끓인다.

● **표고버섯은 집에서 직접 말려보세요.**
표고버섯은 밑동을 잘라내고 얇게 썬 다음 채반에 밭쳐 햇볕에 말리면 금방 마른답니다. 잘라낸 밑동도 말려두었다가 육수 우릴 때 사용하세요. 건표고를 사다가 햇볕에 널어두면 비타민 D가 생깁니다.

● **건표고는 찬물에 불려주세요.**
건표고를 사용할 때는 깨끗이 씻은 다음 찬물에 불리세요. 찬물에 불려야 표고의 향이 그대로 남아있답니다. 표고버섯 우린 물은 육수와 섞어서 사용하면 좋아요.

● **달걀 노른자는 불을 끄고 풀어 넣으세요.**
죽이 끓을 때 달걀 노른자를 넣으면 달걀 노른자가 풀어지지 않고 바로 뭉칩니다.

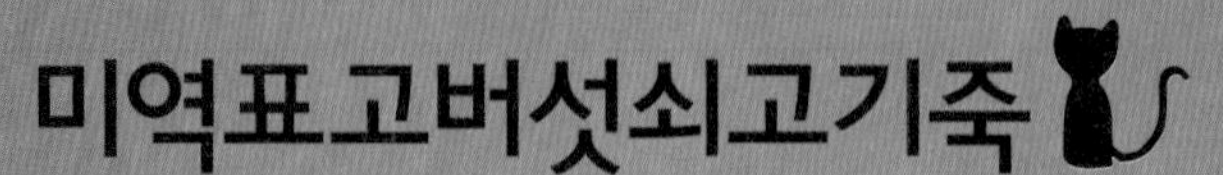

미역표고버섯쇠고기죽

“ 미역은 칼슘 함량이 높아 골격과 치아를 튼튼하게 해줍니다. 그리고 변비로 고생하는 아기에게 먹이기에도 좋은 이유식이에요. 미역국처럼 구수하고 진한 맛이 나기 때문에 입맛 없는 아기들도 잘 먹는답니다. 말린 표고버섯을 사용하면 미역의 칼슘 흡수를 높여줘 영양 면에서 더욱 좋아집니다. ”

재 료

- ▢ 쌀 20g(1과 1/4큰술)
- ▢ 마른 미역 1/2큰술
  (불려서 간 것 1과 1/2큰술)
- ▢ 쇠고기 15g(1큰술)
- ▢ 표고버섯 15g(3큰술)
- ▢ 육수 1과 1/4컵

* 쌀은 미리 20분 이상 물에 불린다.

1 마른 미역은 줄기부분은 잘라내고 잎 부분만 찬물에 불린 다음 깨끗이 씻는다.

2 불린 미역은 믹서에 곱게 갈거나 다지고, 쇠고기는 끓는 육수에 삶아 0.3cm 크기로 다진다.

3 표고버섯은 깨끗이 씻어 0.2~0.3cm 크기로 다진다. 불린 쌀은 믹서에 2초 정도 간다.

4 냄비에 육수를 붓고 쌀과 미역, 쇠고기, 표고버섯을 넣어 쌀이 퍼질 때까지 끓인다.

● 미역은 부드러운 잎 부분만 사용하세요.
미역은 찬물에 불린 다음, 체에 받쳐 흐르는 물에 손으로 문질러 가면서 씻으세요. 미역은 미끈해서 칼로 다지면 잘 다져지지 않기 때문에 믹서에 넣고 가는 것이 더 편해요.

고구마비트라이스수프

"비트는 무과의 뿌리채소로 색은 붉지만 무와 비슷한 맛이랍니다. 비트는 변비와 빈혈에 좋은 재료예요. 요리할 때 천연색소로 많이 쓰이는 재료랍니다. **비트로 이유식을 만들면 선명하게 붉은 색이 돌아 아이들이 참 좋아해요.**"

재 료

- ▢ 쌀 20g(1과 1/4큰술)
- ▢ 닭 안심 10g(1큰술)
- ▢ 고구마 30g(2큰술)
- ▢ 비트(뿌리 채소) 5g (1/2큰술)
- ▢ 육수 2/3컵
- ▢ 모유(분유 물) 1/2컵

* 쌀은 미리 20분 이상 물에 불린다.

1 닭 안심은 끓는 육수에 삶은 후 0.3cm 크기로 다진다.

2 고구마는 잘게 다진다.

3 비트는 끓는 육수에 삶은 다음 잘게 다진다. 육수는 냄비에 그대로 둔다. 불린 쌀은 믹서에 간다.

4 ③의 냄비에 쌀과 닭고기, 비트, 고구마를 넣고 쌀이 다 익으면 모유(분유 물)를 넣어 한소끔 끓인다.

● 비트를 자르면 도마에 붉게 물이 들어요.

비트를 자를 때 도마 위에 종이호일을 하나 깔고 자르면 도마에 물이 들지 않아서 좋답니다. 남은 비트는 얇게 썰어 쌈으로 먹어도 좋고, 깍뚝 썰어 비트 초절임이나 비트 피클을 만들어도 좋아요. 그냥 생으로 드셔도 되고 비트를 구하기 힘들면 무로 대체해도 됩니다.

달걀노른자찜

"거칠지 않고 부드러운 질감의 달걀노른자찜이에요. 한 끼 식사로도 좋고 간식으로 먹어도 좋답니다. 버섯과 당근 등 각종 채소를 이용해 다양하게 응용이 가능한 이유식이에요. 부드러운 질감의 달걀노른자찜을 만들려면 체에 내린 후 약한 불에서 익히세요. 센 불에서 익히면 거친 질감의 달걀노른자찜이 된답니다."

재 료

- 연두부 40g(2큰술)
- 달걀노른자 1개 분량
- 백만송이버섯 10g(2큰술)
- 당근 5g(1/2큰술)
- 다시마 물 2큰술

1 연두부와 달걀노른자는 체에 내린다.

2 백만송이버섯과 당근은 잘게 다진다.

3 연두부, 달걀노른자, 당근, 백만송이버섯에 다시마 물을 붓고 골고루 섞는다. 위에 뜬 거품은 걷어낸다.

4 김 오른 찜통이나 찜기에 재료가 담긴 그릇을 넣은 다음 아주 약한 불에서 20분 정도 찐다.

● 그릇 위에 쿠킹호일, 면보 등을 덮어주세요.
윗면을 매끈하게 만들기 위해서 거품을 걷어내는데, 그릇 위에 쿠킹호일이나 면보 등을 덮어서 쪄야 물방울이 떨어지지 않아서 기포가 생기지 않아요. 다시마 물 대신 모유(분유물)로 대체해도 됩니다.

쇠고기완두콩현미라이스수프

" 쌀은 시중에서 가장 구하기 쉬운 현미와 발아 현미, 붉은색을 띠는 적미, 녹색을 띠는 녹미, 검은색을 띠는 흑미 등이 있답니다. 만 6개월 이후부터는 잡곡을 조금씩 먹여도 되는데, 각 쌀마다 효능이 다 다르니 골고루 먹이면 좋답니다. 이 책에서는 가장 구하기 쉬운 현미로 통일했지만 저는 백미 이외의 쌀을 한 번씩 섞어 먹였어요. 여러 가지 종류의 쌀을 먹였더니 이유식을 끝낸 지금, 잡곡밥도 거부감 없이 잘 먹는답니다. "

재 료

- ☐ 쌀 15g(1큰술)
- ☐ 현미 5g(1/3큰술)
- ☐ 완두콩 15g(1/2큰술)
- ☐ 쇠고기 15g(1큰술)
- ☐ 양파 10g(1/2큰술)
- ☐ 육수 1컵
- ☐ 모유(분유 물) 1/4컵(60cc)

* 쌀과 현미는 미리 20분 이상 물에 불린다.

1 완두콩은 삶아서 껍질을 벗긴 다음 절구에 으깬다.

2 쇠고기와 양파는 끓는 육수에 넣고 삶은 후 다진다. 육수는 냄비에 그대로 둔다.

3 믹서에 불린 쌀과 현미를 간다.

4 ②의 냄비에 쌀과 현미, 쇠고기, 완두콩, 양파를 넣고 끓이다가 쌀이 다 익으면 모(분유 물)를 넣어 한소끔 끓인다.

● 현미, 적미, 녹미, 흑미는 몸에 좋아요.

현미는 섬유질이 풍부하여 장에 좋고 뼈를 튼튼하게 하며, 알레르기 체질 개선에 좋고 해독 작용이 뛰어납니다. 적미는 폴리페놀 함량이 높아 항암, 항균, 항산화 작용이 뛰어나고 단백질과 비타민, 미네랄을 많이 함유하고 있습니다. 녹미는 소화 흡수가 잘 되고 위장 기능 회복에 도움을 주며 당뇨에 좋고 숙변 제거에 좋아요. 흑미는 단백질과 아미노산은 물론 미네랄과 식이섬유가 많이 함유되어 있어 빈혈에 좋고 어린 아이들의 골격 형성에도 좋습니다.

달걀콩닭고기수프

"저는 닭고기를 먹일 때마다 항생제와 성장촉진제 때문에 걱정을 많이 했어요. 유기농 달걀이나 무항생제, 무성장촉진제 달걀은 쉽게 구할 수 있는데 고기류는 그렇지 않더라고요. 그리고 600g씩 포장된 닭 가슴살을 사면 양이 너무 많아서 부담스럽기도 하고요. 온·오프라인의 유기농 숍에 가면 소포장으로 된 무항생제, 무성장촉진제 닭 가슴살을 구입할 수 있답니다."

재 료

- 달걀 1개
- 닭 안심 30g(2큰술)
- 당근 5g(1/2큰술)
- 완두콩 15g(2/3큰술)
- 옥수수 알 15g(2/3큰술)
- 모유(분유 물) 2/5컵(80cc)

1 달걀은 완숙으로 삶아 노른자만 빼놓는다.

2 끓는 육수에 닭 안심을 넣고 삶은 후 다진다. 당근도 끓는 육수에 익힌 다음 다진다. 육수는 냄비에 그대로 둔다.

3 완두콩과 옥수수 알은 삶아서 체에 내린다. 삶은 달걀노른자도 체에 내린다.

4 ②의 냄비에 닭 안심, 완두콩, 옥수수, 당근, 달걀노른자를 넣고 끓이다가 모유(분유 물)를 넣고 한소끔 끓인다.

● 달걀을 삶을 때는 작은 냄비를 준비하세요.

작은 냄비에 달걀을 삶으면 달걀이 흔들려 깨지는 것을 방지할 수 있어요. 냄비에 물을 반쯤 채운 다음 중불에서 달걀을 넣고 물이 끓어오른 후 10분간 삶으세요. 15분 이상 삶으면 노른자가 녹색으로 변해요. 삶은 달걀을 찬물에 담가두면 달걀 껍질 벗기기도 수월하고 노른자가 남은 열에 의해서 변색되는 것도 막을 수 있어요.

중기 간식 1

검은콩감자메시

재 료

- ▢ 감자 70g(7큰술)
- ▢ 검은콩 20g(2큰술)
- ▢ 모유(분유 물) 1/5컵(40cc)
- ▢ 물 3과 1/2컵

1 검은콩은 미리 물에 불린 다음 껍질을 제거하고 냄비에 분량의 물을 부어 삶는다.
2 콩이 반 정도 익으면 감자를 넣고 삶는다.
3 감자가 다 익으면 감자는 먼저 건져내 포크로 으깬다.
4 콩이 다 익으면 체에 내린 후 감자와 모유(분유 물)를 섞는다.

단호박메시

재 료

- ▢ 단호박 80g(8큰술)
- ▢ 건포도 4g(10개)

1 단호박은 껍질을 벗기고 찜통에 15분간 찐 다음 포크로 으깬다.
2 건포도는 끓는 물에 살짝 데친 다음 0.3㎝ 크기로 다진다.
3 단호박과 건포도를 섞는다.

바나나시금치메시

재 료

- ▢ 바나나 70g(1개)
- ▢ 시금치 15g(1큰술)

1 시금치는 끓는 물에 데친 다음 0.3cm 크기로 잘게 다진다.
2 바나나는 껍질을 벗기고 양끝을 자른 다음 포크로 으깬다.
3 바나나와 시금치를 섞는다.

고구마사과메시

재 료

- ▢ 고구마 60g(6큰술)
- ▢ 사과 20g(1과 1/2큰술)
- ▢ 모유(분유 물) 1/5컵(40cc)

1 고구마는 껍질을 벗겨 20분 정도 찐 다음 포크로 으깬다.
2 사과는 0.3cm 크기로 잘게 다진다.
3 냄비에 고구마와 사과, 모유(분유 물)를 넣고 살짝 끓인다.

중기 간식 2

두부로 만든 두유

재 료

- ☐ 생식용 두부 60g
- ☐ 물 3/5컵(120cc)

1 믹서에 두부와 물을 넣고 간다.

** 아이에 따라 농도는 조금씩 달리해도 상관없습니다.

배대추차

재 료

- ☐ 배 1개
- ☐ 대추 6~7알
- ☐ 물 10컵(2ℓ)

1 배는 8등분하여 껍질과 씨를 제거하고, 대추는 깨끗이 씻는다.
2 냄비에 대추와 배를 넣고 센 불에서 끓이다가 끓어오르면 가장 약한 불로 줄여 끓인다.
3 배가 흐물해질때까지 1시간 정도 끓인 다음 건지는 건지고 차는 체에 내린다.

** 너무 진하면 물을 조금 타서 희석하세요.

단호박푸딩

재 료

- 단호박 60g(6큰술)
- 달걀노른자 1개 분량
- 모유(분유 물) 1큰술

1 단호박은 껍질을 벗겨 15분간 찐 다음 포크로 으깬다.
2 달걀노른자는 체에 내려 단호박과 섞는다.
3 ②에 모유(분유 물)를 섞은 다음 그릇에 담고 김 오른 찜기나 찜통에서 15분간 찐다.

바나나푸딩

재 료

- 바나나 1개(3큰술)
- 달걀노른자 1개 분량
- 모유(분유 물) 1큰술

1 바나나는 껍질을 벗기고 양끝을 자른 다음 포크로 으깬다.
2 달걀노른자는 체에 내려 바나나와 섞는다.
3 ②에 모유(분유 물)를 섞은 다음 그릇에 담고 김 오른 찜기나 찜통에서 15분간 찐다.

이유식 1일 횟수 3회(간식 1~2회)
이유식 한 끼 분량 100~150cc
1일 수유량 600~700㎖

chapter 03

후기 이유식 (만 8~12개월)

후기 이유식 시작하기 전 꼭 알아야 할 것

* 아기마다 먹는 양은 다 다릅니다. 내 아기에 맞게 이유식을 준비하세요. 잘 먹다가 안 먹을 때도 있습니다. 아기가 세상을 알아가는 과정에서 새로운 것들에 정신을 집중하거나 이가 날 경우 등에는 이유식을 잘 먹다가 안 먹을 수도 있으니 너무 걱정하지 마세요.
* 이 때는 스스로 숟가락질을 하거나 손으로 이유식을 먹으려고 합니다. 아기 손에 숟가락을 하나 쥐어주거나 핑거푸드 이유식을 만들어 스스로 먹는 성취감을 느끼게 해주세요. 이유식을 끝낸 자리가 엉망이 되더라도 스스로 먹는 것을 막지 마세요. 혼자 먹는 습관을 길러줘야 나중에 스스로 밥을 먹습니다.
* 이유식에 간하지 마세요. 어른들이 먹는 음식을 주는 것도 안 됩니다. 어른들이 먹는 국에 밥을 말거나 적셔주지 마세요. 정말 안 먹는 아기는 간을 해서 먹이기도 하는데, 계속 더 강한 간을 하게 되는 악순환이 반복됩니다. 하지만 아기가 정말 안 먹으면 약하게 간을 조금 해 주는 것도 어쩔 수 없는 부분이라고 생각해요. 처음에는 멸치가루나 참기름, 깨소금 등으로 맛을 내보고 소금, 간장, 된장 등으로 간을 할 때는 좋은 제품을 사용하세요.
* 아직 우유는 먹이지 마세요. 우유는 돌 이후에 먹이세요.
* 어른들이 먹는 과자, 사탕 등은 절대 먹이지 마세요.

아기의 상황에 따른 맞춤 이유식 재료

알레르기·아토피 아기가 알레르기나 아토피가 있다면 고위험군에 속하는 이유식 재료는 돌 이후에 먹이는 게 안전합니다. 만일 이상 반응(두드러기, 설사 등)을 보인다면 잠시 쉬었다가 다시 시도하세요. 두부, 콩류, 달걀, 생선, 밀가루가 포함된 음식과 유제품은 제외하고 초기 이유식에 들어간 재료 중 이상 반응이 없는 재료로 만든 이유식은 먹여도 됩니다.

감기 감자, 양배추, 브로콜리, 오이(열 감기), 단호박, 고구마, 사과, 배, 닭고기, 무(기침 감기), 당근, 대추, 배추, 아욱(기침 감기), 연근(열 감기), 감, 콩나물, 숙주(열 감기), 파

변비 양배추, 브로콜리, 고구마, 청경채, 잘 익은 바나나, 사과, 자두, 살구, 시금치, 배추, 건포도, 아욱, 미역, 우엉, 플레인 요구르트

설사 찹쌀, 감자, 완두콩, 단호박, 익힌 사과, 쇠고기, 차조, 익힌 당근, 대추, 흰살 생선, 감

빈혈 브로콜리, 콜리플라워, 완두콩 시금치, 미역, 달걀노른자, 대추, 강낭콩, 표고버섯, 우엉, 멸치, 깨, 치즈

식욕부진·보양식 구기자, 대추

특히 잘 먹는 이유식 용봉탕, 핑거푸드, 주먹밥류, 쇠고기난자완스, 압력솥 이유식류

외출 죽류는 초기 이유식과 마찬가지로 외출용 이유식을 준비하면 됩니다. 간편하게 먹이려면 핑거푸드와 주먹밥류의 이유식과 쇠고기전, 두부채소찜, 후기 이유식 간식류를 외출용 이유식으로 준비하세요.

후기 이유식 시작하기 전 레시피 보는 법

01 쌀은 미리 20분 이상 물에 불리면 빨리 만들 수 있어요. 쌀 30g과 밥 60g은 동량입니다.

02 불은 센 불에서 끓이다가 이유식이 끓어오르면 약한 불로 줄여서 쌀이 퍼질 때까지 끓이세요.

03 쇠고기와 닭고기, 버섯은 채소보다 조금 더 작게 자르세요. 이유식 재료 중 채소는 미리 다져서 익힌 다음 체로 건져내면 편해요.

04 쇠고기나 닭고기를 익힐 때 육수 위로 떠오르는 갈색 불순물은 체로 건져주세요.

05 이유식의 묽기와 덩어리는 시기별로 정해진 것은 없습니다. 아기에게 맞춰서 엄마가 조절하세요. 아기가 먹기 힘들어하면 덩어리를 다시 작게 만들고, 아기가 잘 먹으면 크기를 조금씩 늘려주세요.

06 재료 분량 표시에서 괄호 안의 숟가락의 양은 재료를 다지거나 체에 내리는 등 손질한 후의 양을 말합니다.

07 이 이유식 책에서 사용하는 쇠고기는 안심을, 닭고기는 안심이나 가슴살을 사용합니다.

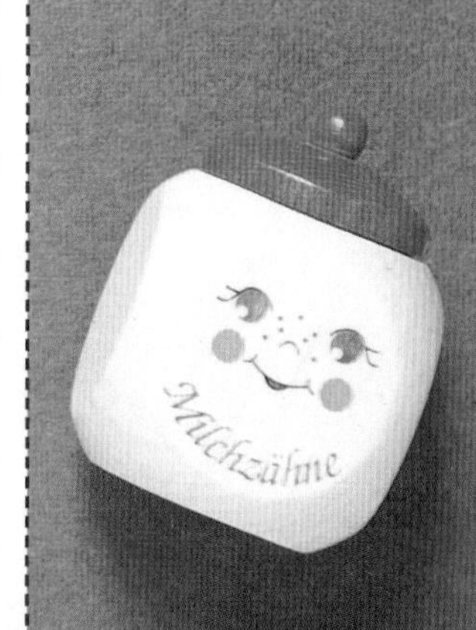

코티지치즈

“ 후기 이유식부터 아기에게 치즈나 플레인 요구르트 등의 유제품을 먹일 수 있어요. 저는 만 9개월 기념으로 코티지치즈를 만들어 먹였어요. 아이에게 먹일 첫 치즈 만큼은 각종 첨가물이 들어 있는 가공 치즈 대신 집에서 직접 만든 것으로 먹이고 싶었거든요. 코티지치즈는 그냥 먹여도 좋고 이유식 만들 때 넣어도 좋아요. ”

재 료

- ☐ 레몬 1개
- ☐ 우유 5컵(1ℓ)

1 레몬은 베이킹 소다를 묻혀서 껍질을 씻는다. 끓는 물에 살짝 담갔다 빼내도 농약과 왁스가 제거된다.

2 레몬을 도마 위에서 눌러가면서 굴린 후 반을 잘라 레몬즙 짜개로 즙을 낸다. 레몬즙을 체에 내려 즙만 거른다.

3 냄비에 우유를 붓고 중불에 올린다. 막이 생기면 막을 걷는다.

4 우유가 끓기 직전에 약한 불로 줄이고 레몬즙을 넣어 다섯 번 정도 젓는다.

5 순두부처럼 몽글몽글해지면 바로 불을 끈다.

6 거즈나 체에 치즈를 받쳐 물기를 뺀다.

● **치즈는 만든 후 5일 이내에 드세요.**

수분을 많이 짜내면 딱딱한 치즈가 되고 수분을 많이 남기면 부드러운 치즈가 됩니다. 치즈를 만들면서 나온 물(유청)을 치즈에 조금 섞은 후 믹서에 갈면 부드러운 크림치즈가 됩니다. 밀폐용기에 넣어 냉장 보관하고, 보관 기간은 5일 정도가 적당해요. 자두나 사과, 배 등의 과일을 기름 없는 팬에 볶아서 치즈와 섞어 먹이면 더 맛있어요.

무수프 감기 걸린 아기에게 좋은 이유식

"무수프는 감기에 걸린 아기를 위한 특별한 이유식이에요. 파는 후기 이유식부터 먹일 수 있는데, 육수를 만들 때 파를 넣으면 좋아요. 무수프에도 감기에 좋은 파가 들어갑니다. 무, 파, 양파를 넣은 수프는 어떤 맛일지 궁금하시죠? 파 향이 살짝 나면서 부드럽고 고소하답니다."

재 료

- 진 밥 30g(수북하게 1 큰술)
- 무 60g(3과 1/2큰술)
- 양파 10g(1큰술)
- 대파 1㎝(1/2큰술)
- 물 1/2컵
- 모유(분유 물) 1/4컵

1 무는 강판에 곱게 갈고, 양파와 대파는 아주 잘게 다진다.

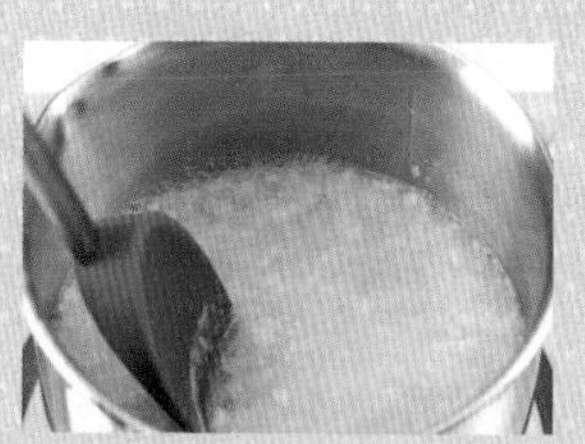

2 ①의 모든 재료를 냄비에 담고 물을 넣어 끓인다.

3 양파가 거의 익으면 진 밥을 넣고 으깨면서 끓인다.

4 양파와 대파의 매운 기운이 완전히 빠질 때까지 7분 정도 끓인 후 모유(분유 물)를 넣고 한소금 끓인다.

● 감기에 걸린 아기는 덩어리진 음식을 잘 못 먹어요.
아기가 밥알을 부담스러워하면 분량의 물과 밥을 넣고 믹서에 갈아주세요. 좀 더 맛있게 만들려면 양파와 파, 무를 참기름에 볶다가 재료가 다 익으면 물을 붓고 끓이면 됩니다. 파를 넣고 끓일 때는 파의 매운 맛이 다 날아갈 때까지 끓이세요.

용봉탕·대구살로 만든 핑거주먹밥

" 후기 이유식부터는 흰 살 생선을 먹일 수 있어요. 신선한 대구 한 마리 사서 영양 만점 이유식을 만들어 주세요. 용봉탕은 잉어와 닭 혹은 오골계와 자라를 넣고 만드는 보양식이에요. 아기도 때론 보양 이유식이 필요하답니다. 신선한 대구는 비리지 않고 고소한 맛이 납니다. 남은 대구살로 핑거주먹밥을 만들어주세요. "

용봉탕(대구닭고기양파참깨죽)

대구살로 만든 핑거주먹밥

용봉탕(대구닭고기양파참깨죽)

재 료 ▢ 쌀 30g(2큰술) ▢ 대구 살 30g(2큰술) ▢ 닭 안심 30g(2큰술) ▢ 양파 10g(1큰술) ▢ 참깨 1/2작은술 ▢ 물 50cc(1/4컵) ▢ 육수 (1과 1/4컵)

1 대구는 신선한 생물로 준비해 내장을 손질한 후 찜통에 통째로 찐 다음 껍질을 제거하고 살만 바른다.

2 양파는 잘게 다지고, 닭 안심은 끓는 육수에 삶은 후 다진다.

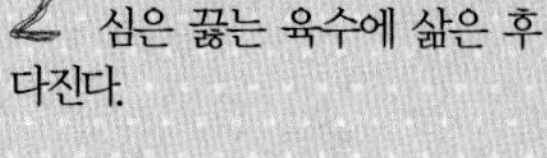

3 쌀은 믹서에 분량의 물을 부어 갈고, 참깨는 절구에 곱게 빻는다.

4 육수에 쌀, 닭 안심, 대구 살, 양파, 참깨를 넣고 쌀이 퍼질 때까지 10분 정도 끓인다.

대구살로 만든 핑거주먹밥

재 료 ▢ 대구 살 60g(4큰술) ▢ 감자(중간 크기) 1개 ▢ 두부 20g(1과 1/2큰술) ▢ 백일송이버섯 10g(1큰술) ▢ 당근 10g(1큰술)

1 감자는 강판에 간 다음 체에 내려서 물기를 뺀다. 숟가락으로 눌러서 짜면 쉽다.

2 감자 물은 그릇에 담아 흔들지 말고 가만히 두어 전분을 가라앉힌 후 위의 물은 버리고 전분은 따로 둔다.

3 두부는 끓는 물에 살짝 데치고, 백일송이버섯과 당근은 잘게 다진 후 끓는 물에 3분 정도 삶아 체로 건진다. 대구 살은 절구에 넣어 으깬다.

4 대구 살에 감자 전분, 두부, 버섯, 당근을 섞어서 아기가 한입에 먹기 좋은 크기로 동글납작하게 만든다. 김이 오른 찜통이나 찜기에 15분 정도 찐다.

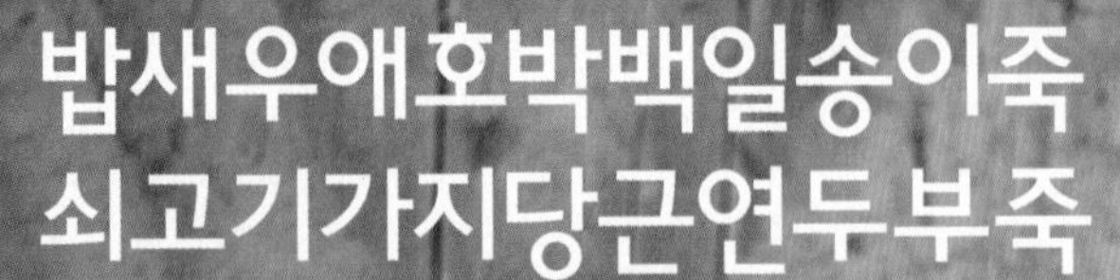

밥새우애호박백일송이죽 쇠고기가지당근연두부죽

"밥새우는 쌀알만한 크기의 아주 작은 새우로 껍질이 딱딱하지 않고 부드러워요. 영양은 보통 새우와 똑같지만 껍질까지 다 먹을 수 있으니 더욱 좋죠. 하지만 **알레르기가 있거나 음식을 조심스럽게 먹이는 경우라면 돌 이후에 먹이세요.** 후기 이유식을 시작하면서 처음 먹이는 채소인 가지는 입 안이 헐었을 때 먹이면 좋아요."

밥새우애호박백일송이죽

쇠고기가지당근연두부죽

밥새우애호박백일송이죽

재 료 ☐ 쌀 30g(2큰술) ☐ 밥새우 2g(1큰술) ☐ 애호박 15g(1과 1/2큰술)
☐ 백일송이버섯 10g(2큰술) ☐ 육수 1과 1/2컵

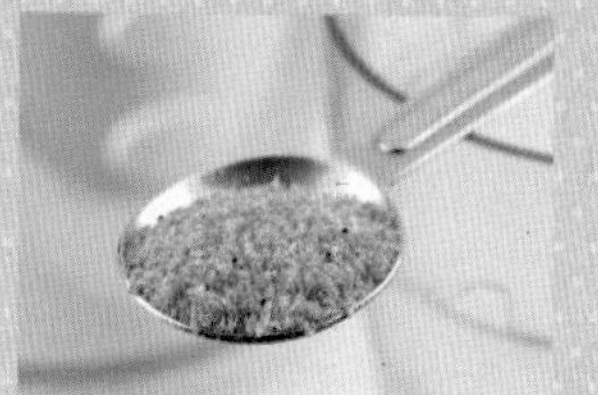

1 밥새우는 믹서에 간다.

2 애호박과 백일송이버섯은 0.5cm 크기로 다지고, 쌀은 미리 물에 불린 후 믹서에 살짝 간다.

3 육수에 쌀, 밥새우, 애호박, 백일송이를 넣고 센 불에 끓이다가 끓어오르면 약한 불로 줄여 쌀이 퍼질 때까지 끓인다.

쇠고기가지당근연두부죽

재 료 ☐ 밥 60g(수북하게 2큰술) ☐ 쇠고기 30g(2큰술) ☐ 연두부 30g(1과 1/2큰술) ☐ 가지 20g(1과 2/3큰술)
☐ 당근 10g(1큰술) ☐ 쇠고기육수 3/4컵

1 쇠고기는 끓는 물에 삶아 0.4cm 크기로 다진다.

2 연두부는 절구에 으깨고 가지와 당근은 0.5cm 크기로 다진다.

3 육수에 가지, 당근, 연두부, 쇠고기와 밥을 넣고 센 불에 끓이다가 끓어오르면 약한 불로 줄여 밥이 퍼질 때까지 끓인다. 밥알이 부담스러우면 주걱이나 매셔로 으깨면서 끓인다.

● **밥새우가 없으면 보리새우도 좋아요.**
밥새우 대신 보리새우를 사용해도 좋아요. 보리새우는 가시가 있으니 믹서에 아주 곱게 갈아주세요.

● **가지는 윤이 나는게 좋아요.**
가지는 겉면이 매끈하면서 윤이 나는 게 좋아요. 색이 고르고 꼭지 끝부분이 흰색을 띠는 것으로 고르세요.

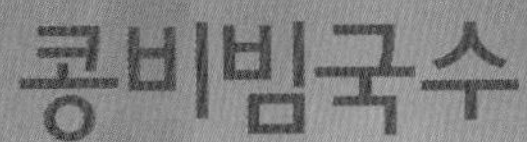

콩비빔국수

❝ 콩으로 만든 이유식은 몸에도 좋고 맛도 좋지만, 만드는 과정이 좀 번거로워요. 하지만 정성을 들인 만큼 맛도 좋기 때문에 아기들이 잘 먹는답니다. 표고버섯은 말린 표고버섯을 찬물에 불려 사용하면 더 좋아요. 표고버섯 불린 물까지 사용하세요. 그리고 불린 표고버섯은 좀 질긴 편이니 잘게 다져주세요. ❞

재 료

- ☐ 검은콩 35g(3과 1/2큰술)
- ☐ 오이 40g(1과 1/2큰술)
- ☐ 표고버섯 1/2개(1큰술)
- ☐ 참깨 1/2작은술
- ☐ 소면(쌀국수) 1/3인분
- ☐ 물 1컵

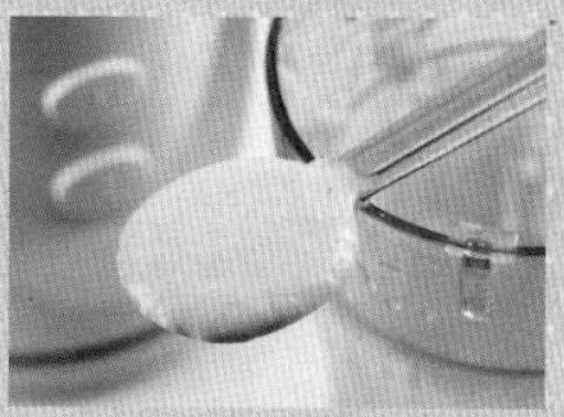

1 검은콩은 물에 불린 후 껍질을 벗기고 삶는다. 믹서에 삶은 콩과 물 1/2컵을 넣고 곱게 간다.

2 오이는 껍질과 씨를 제거하고 삶은 후 0.5cm 크기로 다지고, 표고버섯은 삶은 후 0.5cm 크기로 다진다. 참깨는 절구에 빻는다.

3 소면은 반으로 잘라 삶은 후 찬물에 씻는다.

4 냄비에 콩물과 나머지 물 1/2컵, 오이, 표고버섯, 참깨 넣고 끓인 다음 삶은 소면에 부어 버무린다.

● **소면은 끓이기를 반복하세요.**
소면은 물이 끓어 오를 때 찬물을 조금 부어 다시 끓이기를 두 번 반복하세요. 그런 다음 체에 걸러 손으로 비벼가며 찬물에 씻으세요.

● **소면은 유기농 소면이나 우리밀 소면으로 구입하세요.**
소스의 반은 냉장 보관했다가 다음에 먹일 때 소면을 삶아 버무려주면 됩니다. 쌀국수는 가장 가는 면으로 구입하고, 소면은 유기농 소면이나 우리밀 소면으로 구입하세요.

쇠고기완자핑거푸드·핑거주먹밥

“ 후기 이유식에 들어서면서 많은 엄마들이 '아기가 이유식을 안 먹어서 걱정이에요'라는 말을 많이 합니다. 만일 우리 아기는 그런 걱정 없이 잘 먹는다면 정말 다행이죠. 이 무렵 아기들은 이유식을 자꾸 손으로 먹으려고 해요. 숟가락으로 주면 이유식 먹기를 거부하기도 하고요. 이럴 때 핑거푸드를 만들어 손으로 집어먹을 수 있게 해주면 잘 먹는답니다. 외출할 때도 좋은 이유식이에요. ”

쇠고기완자핑거푸드

핑거주먹밥

쇠고기완자핑거푸드

재 료

- ▢ 진 밥 40g(1과 1/3큰술)
- ▢ 쇠고기 40g(2와 2/3큰술)
- ▢ 애호박 10g(2/3큰술)
- ▢ 양파 10g(1/2큰술)
- ▢ 당근 5g(1작은술)
- ▢ 포도씨유 약간

1 애호박, 양파, 당근은 잘게 다져서 끓는 물에 데치고 쇠고기는 다진다.

2 진 밥은 절구에 찧고 ①의 재료와 섞은 후 냉장고에서 잠시 숙성시킨다.

3 ②의 반죽을 아기가 한입에 먹기 좋은 크기로 동글동글하게 빚는다.

4 달군 팬에 포도씨유를 조금 두르고 기름이 뜨거워지면 키친타월로 기름을 닦아낸 후 ③을 올려 약한 불에서 익힌다.

핑거주먹밥

재 료

- ▢ 진 밥 60g(수북하게 2큰술)
- ▢ 쇠고기 30g(2큰술)
- ▢ 당근 5g(1작은술)
- ▢ 코티지치즈·김 가루 1작은술씩
- ▢ 참기름 약간

* 코티지치즈 만드는 법은 p.147 참고.

1 쇠고기는 칼로 다진 다음 달군 팬에 볶는다. 저으면서 익히지 않으면 서로 뭉치니 주의한다.

2 당근은 잘게 잘라서 끓는 물에 익힌다.

3 진 밥에 쇠고기, 당근, 코티지치즈, 김 가루, 참기름을 넣고 잘 섞는다.

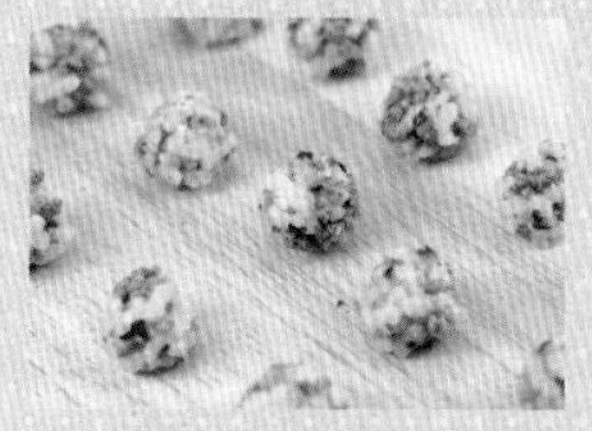

4 ③을 엄지손톱만한 크기로 동글동글하게 빚는다.

쇠고기우엉덮밥
쇠고기우엉양배추치즈진밥

"우엉은 섬유질이 많아서 변비에 좋고 빈혈 예방과 치료에도 좋은 재료예요. 우엉 특유의 향긋한 향이 식욕을 자극해 아기들이 잘 먹는답니다. 하지만 **딱딱하기 때문에 믹서에 갈거나 혹은 아주 곱게 다져서 이유식에 넣어주세요.** 우엉을 삶을 때 넣는 식초는 자연 발효된 천연 양조식초를 사용하세요."

쇠고기우엉덮밥

재 료

- 진 밥 60g(수북하게 2큰술)
- 쇠고기 20g(1과 1/3큰술)
- 양파 10g(1큰술)
- 우엉 10g(손가락 1마디)
- 달걀노른자 1개 분량
- 물 1/4컵

1 쇠고기와 양파는 다진다.

2 우엉은 껍질을 벗겨 0.2㎝ 크기로 다진 다음 냄비에 물 1컵과 식초 1/3 작은술을 넣고 삶은 후 찬물에 헹군다.

3 팬에 분량의 물을 붓고 쇠고기, 양파, 우엉을 함께 볶는다.

4 고기가 익으면 달걀노른자를 풀어 넣고 달걀노른자가 다 익으면 밥에 올린다.

쇠고기우엉양배추치즈진밥

재 료

- 밥 60g(수북하게 2큰술)
- 쇠고기 30g(2큰술)
- 우엉 10g(손가락 1마디)
- 양배추 잎 10g(1큰술)
- 치즈 5g(1/2큰술)
- 육수 3/4컵

1 쇠고기는 끓는 육수에 삶은 다음 다진다.

2 우엉은 물을 조금 넣어 믹서에 갈고, 양배추는 잎 부분만 다진다.

3 냄비에 육수와 우엉, 양배추, 쇠고기를 넣고 센 불에서 끓인다.

4 국물이 끓어오르면 약한 불로 줄이고 밥과 치즈를 넣은 다음 한소끔 끓인다.

쇠고기검은콩가지참깨진밥

"아기 이가 몇 개 났나요? 어떤 아기는 백일이 되기도 전에 이가 나오는 경우도 있고, 어떤 아기는 9~10개월이 되어도 이가 나지 않는 경우도 있어요. 엄마 마음은 이가 나지 않으면 잘 씹어 먹지 못할까봐 걱정이 되지요. 하지만 아기는 잇몸으로도 오물오물 잘 씹어 먹으니 걱정하지 마세요. 아기의 이가 촘촘하게 났다면 고기를 먹인 후에는 꼭 치실을 사용해주세요."

재 료

- 밥 60g(수북하게 2큰술)
- 검은콩 5g(1/2큰술)
- 쇠고기 25g(1과 2/3큰술)
- 가지 10g(1과 2/3큰술)
- 참깨 약간
- 육수 1/2컵

1 검은콩은 전날 미리 찬물에 담가 불린 다음 물에 삶는다. 콩이 무르게 삶아지면 절구에 으깬다.

2 쇠고기는 끓는 육수에 삶은 다음 다지고, 가지도 잘게 다진다.

3 참깨는 절구에 빻는다.

4 육수에 쇠고기와 가지를 넣고 끓이다가 가지가 다 익으면 밥과 참깨를 넣고 주걱이나 매셔로 으깨면서 한소끔 끓인다.

● 콩은 검은콩이 아니라도 괜찮아요.
검은콩 대신 시판 모둠콩으로 만들어도 좋습니다. 콩은 잘 익지 않기 때문에 하룻밤 정도 불린 뒤 콩이 푹 잠길 정도로 물을 붓고 삶으세요.

무쇠고기참깨진밥

“무는 '천연 소화제'라고 할 만큼 소화를 돕고 위장을 튼튼하게 해주는 재료예요. 또한 기침 감기나 목이 부었을 때 먹어도 좋답니다. 참깨와 쇠고기는 빈혈에 좋은 이유식 재료이며, 무쇠고기참깨진밥은 고소하면서 시원한 맛이 일품인 이유식이에요. 감기에 걸렸거나 빈혈이 있을 때 먹이면 좋답니다.”

재 료

- 밥 60g(수북하게 2큰술)
- 쇠고기 30g(2큰술)
- 무 20g(2큰술)
- 깨소금 1/2큰술
- 참기름 약간씩
- 육수 1/2컵

1 쇠고기와 무는 다진 후 달군 팬에 참기름을 두르고 볶는다.

2 무가 투명해지면 밥과 육수를 넣고 끓인다.

3 센 불에서 끓이다가 끓어오르면 약한 불로 줄여 중간중간 저으면서 끓인다.

4 육수가 자작해지고 밥이 퍼지면 깨소금을 넣는다.

● 무는 용도별로 나눠 냉동 보관하세요.

쓰고 남은 무는 냉동 보관하면 좋아요. 국거리용은 납작하게 썰어서, 육수용이나 조림용은 큼직하게 썰어서 보관하세요. 채반에 올려서 물기를 제거하거나, 키친타월이나 행주로 물기를 닦아낸 후 냉동 보관해야 무 표면에 살얼음이 끼지 않습니다.

애호박콩진밥

" 콩은 고단백이면서 빈혈과 두뇌 발달에 좋은 이유식 재료예요. 똑똑한 아기로 키우고 싶으면 콩을 많이 먹이세요. 편식하지 않는 아기로 키우려면 이유식 시기에 다양한 맛을 보여주는 것도 중요해요. 알레르기가 있는 아기의 경우 콩과 두부는 돌 이후에 먹이세요. "

재 료

- ▢ 밥 60g(수북하게 2큰술)
- ▢ 완두콩 10g(1/2큰술)
- ▢ 애호박 20g(1과 1/3큰술)
- ▢ 두부 20g(1과 1/2큰술)
- ▢ 육수 1/2컵

* 콩은 어느 것을 사용해도 상관없어요.

1 완두콩은 찬물에 20분 정도 불렸다가 냄비에 물과 함께 넣고 삶은 후 껍질을 벗기고 절구에 으깬다.

2 애호박은 다지고, 두부는 끓는 물에 넣어 데친 후 다진다.

3 육수에 밥, 완두콩, 애호박, 두부를 넣고 센 불에서 끓인다.

4 끓어오르면 약한 불로 줄이고 중간 중간 저으면서 끓이다가 육수가 자작하게 졸아들고 밥이 퍼지면 불을 끈다.

● 콩은 미리 많은 양을 삶아두세요.

삶은 콩을 냉동 보관해 두었다가 밥 지을 때 혹은 이유식 만들 때마다 꺼내서 사용하면 편해요. 이때 완전히 익히지 말고 콩 비린내가 가실 정도만 삶으세요. 10분 정도 삶은 후 씹어봐서 살짝 덜 익은 듯한 정도로만 익히세요. 너무 푹 삶으면 밥에 넣었을 때 너무 퍼져서 맛이 없답니다.

흰살생선옥수수달걀진밥

" 이유식으로 만들어 먹이기 좋은 흰 살 생선은 명태, 대구, 도미, 가자미, 광어 등이 있어요. 붉은 살 생선은 알레르기를 일으킬 수 있으니 돌 이후에 먹이는 게 좋습니다. 만약 알레르기가 있으면 흰 살 생선도 돌 이후에 먹이세요. 생선을 구입할 때는 소금 간을 하지 않은 신선한 것으로 고르세요. "

재 료

- 밥 60g(수북하게 2큰술)
- 흰 살 생선 20g(1과 1/3큰술)
- 옥수수 알 10g(5큰술)
- 달걀노른자 1개 분량
- 다시마 물 1/2컵

1 흰 살 생선은 끓는 물에 삶거나 데친 다음 다진다.

2 옥수수 알은 끓는 물에 삶아서 다지고, 달걀노른자는 곱게 푼다.

3 다시마 물에 밥, 생선, 옥수수를 넣고 센 불에서 끓이다가 끓어오르면 약한 불로 줄여 중간 중간 저으면서 끓인다.

4 불을 끄고 달걀노른자를 섞은 후 다시 불을 켠 다음 밥이 퍼질 때까지 약한 불에서 끓인다.

- **이유식을 만들고 남은 생선 살은 한 끼 분량씩 나누어 냉동 보관하세요.**
생선을 삶거나 쪄서 다진 다음 아이스 큐브에 넣어 보관하면 편해요. 아이스 큐브에서 생선 살이 단단히 얼면 빼내 지퍼백에 넣어 보관하세요. 이유식 만들 때 얼린 채로 넣으세요. 금방 찐 생선보다는 맛이 떨어집니다.

- **달걀노른자는 불을 끈 후 풀어주세요.**
끓는 죽에 달걀노른자를 넣으면 뭉치기 때문에 불을 끈 후 달걀노른자를 풀고 다시 불을 올려 끓이세요.

당근요구르트냉수프 (특히 잘 먹는) 이유식

" 당근은 오래 두고 먹일 수 없는 재료예요. 그렇다고 당근을 매번 사자니 쓰다가 남는 당근이 눈에 밟히기 마련이죠. **당근요구르트냉수프는 처치곤란한 당근을 한꺼번에 해결할 수 있고 아기도 잘 먹는 이유식이에요.** 익힌 당근 때문에 변비가 걱정이라면 요구르트가 걱정을 해결해준답니다. "

재 료

- 당근 100g(10큰술)
- 감자(작은 크기) 1개
- 사과 20g(2큰술)
- 양파 20g(2큰술)
- 플레인 요구르트 60g (3과 1/2큰술)
- 물 1/2컵

1 당근과 감자는 강판에 곱게 간다.

2 사과와 양파는 다져서 끓는 물에 삶는다.

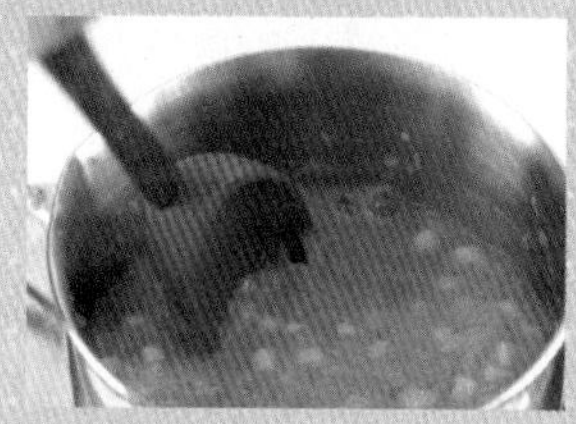

3 당근, 감자, 사과, 양파에 분량의 물을 붓고 익을 때까지 끓인다.

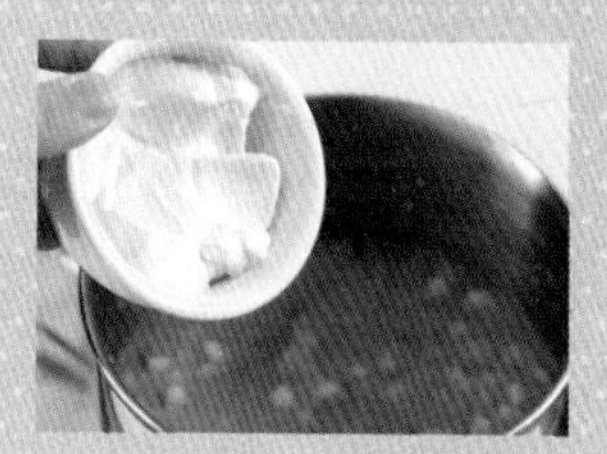

4 ③을 차갑게 식힌 다음 플레인 요구르트를 섞는다.

● 아기에게는 플레인 요구르트를 먹이세요.

아기에게 요구르트를 먹일 때는 설탕과 각종 첨가물이 들어있는 딸기맛, 복숭아맛 등의 요구르트는 안 됩니다. 무첨가 플레인 요구르트도 시판 되는데, 꼭 뒷면의 성분표시를 확인하세요.

● 집에서 직접 만든 요구르트가 가장 안전해요.

가정에서 요구르트를 만들 경우 유산균종균으로 사용할 요구르트는 첨가물이 없는 안전한 제품으로 구입하세요. 스트로우를 꽂아서 먹는 액상형 요구르트는 극히 일부 상품을 제외하고는 유산균도 없고, 설탕과 첨가물이 많이 들어있으므로 아기가 커서도 먹이지 않는 게 좋아요.

닭고기완자핑거푸드 멸치김주먹밥

외출할 때 좋은 이유식

"후기 이유식에 들어서면 아기들은 한 번씩 아프기도 하고, 이가 나려고 잇몸이 간질간질하기 때문에 이유식을 잘 안 먹을 때가 많아요. 이럴 때는 과일이나 간식 대신 핑거푸드로 된 이유식을 만들어주세요. 아주 작게 만들어서 한입에 쏙 들어가게 하면 좋아요. 스스로 잡고 먹을 수 있는 기회를 줌으로써 성취감을 느끼게 해주는 것이 포인트랍니다."

닭고기완자 핑거푸드

멸치김주먹밥

닭고기완자 핑거푸드

재 료

- ▢ 닭 안심 150g(4쪽)
- ▢ 양파 20g(2큰술)
- ▢ 당근 10g(1큰술)
- ▢ 우엉 10g(손가락 1마디)

* 완자를 끓는 닭고기 육수에 넣어 닭고기완자탕을 만들어도 좋아요.

1 닭 안심은 찐득해질 정도로 아주 곱게 다진다.

2 양파, 당근, 우엉은 잘게 다져서 끓는 물에 익힌다.

3 볼에 닭 안심, 양파, 당근, 우엉을 넣어 섞고 냉장고에서 1시간 정도 숙성시킨다.

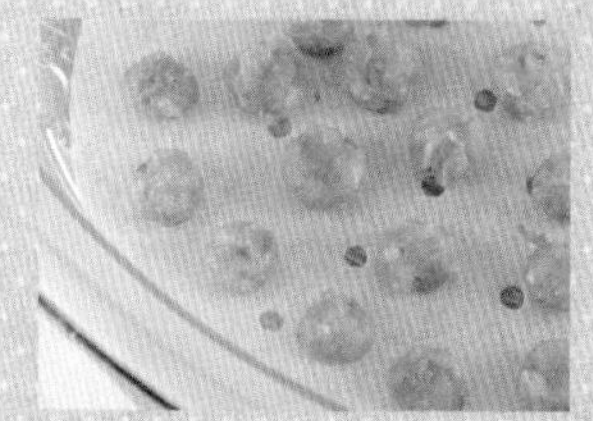

4 아기가 한입에 먹을 수 있는 크기로 동글동글하게 빚어서 김 오른 찜통이나 찜기에 넣고 15~20분 정도 찐다.

멸치김주먹밥

재 료

- ▢ 진 밥 120g(수북하게 4큰술)
- ▢ 잔멸치 3g(1큰술)
- ▢ 구운 김 1장
- ▢ 참기름 약간

1 잔멸치는 30분 정도 물에 담가 짠맛을 뺀다.

2 ①의 멸치는 체에 밭쳐 물기를 뺀 다음 키친타월로 나머지 물기를 없앤다.

3 팬에 참기름을 조금 두르고 약한 불에서 멸치를 살짝 볶아 바삭하게 만들고 키친타월로 기름기를 없앤 다음 믹서에 곱게 간다.

4 김은 잘게 부순 다음 멸치와 진 밥, 참기름을 넣고 작은 크기로 동글동글하게 빚는다.

쇠고기버섯리조또

“ 후기 이유식에 들어서면 먹일 수 있는 재료가 많아지고 조리법도 단순히 끓이는 것 외에 찌고 볶는 등 다양해져서 제법 요리할 맛이 나요. 이유식은 만드는 과정이 귀찮고, 때론 찡찡거리는 아기를 업고서 뜨거운 불 앞에서 조리해야 하는 고충도 있지만 즐겁게 만드시고 웃으면서 먹여주세요. 그래야 아기들도 잘 먹는 답니다. ”

재 료

- 밥 60g(수북하게 2큰술)
- 쇠고기 30g(2큰술)
- 버섯 20g(4큰술)
- 양파 10g(1큰술)
- 치즈(아기용) 1/2장
- 물 1/4컵
- 모유(분유 물) 1/4컵(40cc)

1 쇠고기, 버섯, 양파는 잘게 다진다.

2 팬에 물 1큰술을 넣고 쇠고기, 버섯, 양파를 볶는다.

3 양파가 투명해지면 밥과 분량의 물을 넣어 끓이다가 끓어오르면 모유(분유 물)를 붓고 센 불에서 한소끔 끓인다.

4 끓어오르면 약한 불로 줄여 저어가면서 밥이 퍼질 때까지 끓인다. 마지막에 치즈를 넣고 치즈가 녹도록 젓는다.

●아기용 치즈나 코티지치즈를 넣어서 만드세요.
아기용 치즈는 일반 치즈에 비해 염분 함량이 낮아요. 치즈를 구입할 때 성분 표시와 염분 함량을 확인하고 구입하세요. 집에서 직접 만든 코티지치즈를 이용하면 더 좋습니다.

완두콩콜리플라워수프 라이스스테이크

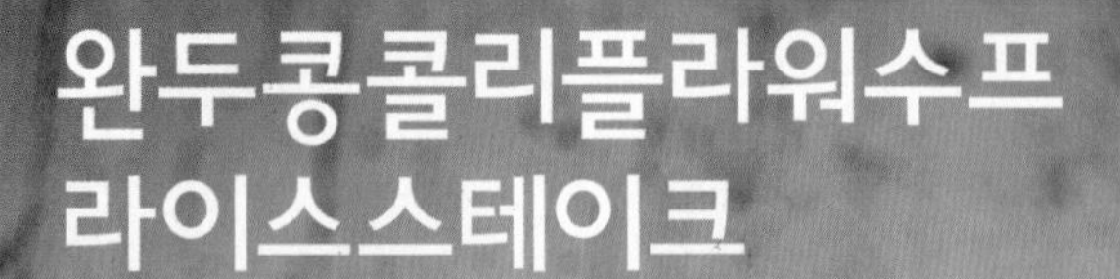

"이유식은 어떤 그릇에 담아서 먹이세요? 어른들도 예쁜 그릇에 음식이 담겨져 나오면 기분도 좋아지고 식욕도 생기듯 아기들도 마찬가지랍니다. 하지만 플라스틱 그릇은 아무리 예뻐도 뜨거운 음식은 절대 담지 마세요. 환경호르몬이 나와요. 오늘의 주제는 코스요리입니다. 수프와 스테이크로 멋을 한껏 내봤어요."

완두콩콜리플라워수프

● **라이스스테이크는 재료를 절구에 으깨도 됩니다.**
라이스스테이크를 만들때 아기가 덩어리를 부담스러워하면 쇠고기, 감자, 근대 잎을 절구에 으깬 후 빚어도 됩니다.

라이스스테이크

완두콩콜리플라워수프

재 료

- 콜리플라워 30g(3큰술)
- 감자 40g(4큰술)
- 완두콩 20g(1/4큰술)
- 모유(분유 물) 1/4컵(60cc)
- 식빵 약간

1 콜리플라워와 감자는 삶아서 으깬다.

2 완두콩은 껍질을 벗긴 다음 삶아서 절구에 으깬다.

3 콜리플라워와 감자, 완두콩에 모유(분유 물)를 넣고 한 번 끓인다.

4 식빵은 작게 잘라 팬에 올리고 약한 불에서 구워 크루통을 만든다. 수프에 크루통을 띄운다.

라이스스테이크

재 료

- 진 밥 100g(3과 1/2큰술)
- 쇠고기 40g(2과 1/2큰술)
- 감자 20g(2큰술)
- 근대 잎 1장

1 쇠고기는 끓는 물에 삶은 후 다진다.

2 감자는 삶아서 포크로 으깬다.

3 근대 잎은 다져서 데친 다음 물기를 꼭 짠다.

4 진 밥에 쇠고기, 감자, 근대 잎을 섞은 후 햄버그 패티 모양으로 만든다.

쇠고기난자완스 특히 잘 먹는 이유식

"쇠고기난자완스는 저의 야심작이었어요. 은근히 손이 많이 가지만 아기가 국물에 밥까지 말아서 다 먹었던 이유식이랍니다. 한 번 만들 때 완자를 많이 빚은 후 그대로 혹은 익혀서 냉동 보관하면 비상 이유식으로 요긴해요. 두 번에 나눠서 먹이려면 고기는 익힌 다음 냉장 보관하시고, 육수도 야채를 넣고 다 끓인 다음 먹기 직전에 녹말가루를 넣어서 농도를 조절해 주세요."

재 료

고기 재료

- 쇠고기 600g(4컵)
- 양파 즙 1작은술
- 양파 10g(1큰술)
- 달걀노른자 1/2큰술
- 녹말가루 1큰술
- 참기름·포도씨유 약간씩

육수 재료(1회분)

- 청경채·양파·버섯 약간씩
- 물녹말 1큰술
- 육수 약간

1 쇠고기는 찰기가 생길 때까지 칼로 아주 곱게 다진 다음 양파즙을 넣는다.

2 양파는 아주 잘게 다진다. 크게 다지면 완자 빚기가 힘들다.

3 볼에 쇠고기, 양파, 달걀노른자, 녹말가루, 참기름을 넣고 섞은 다음 냉장고에서 1시간 정도 숙성시킨다.

4 ③의 고기 반죽을 엄지손톱만한 크기로 동글납작하게 빚는다. 먹을 만큼만 조리하고 나머지는 냉동 보관한다.

5 달군 팬에 포도씨유를 약간 두른 다음 온도가 올라가면 키친타월로 기름기를 슬쩍 닦은 후 완자를 올려 약한 불에서 살짝 익힌다.

6 청경채, 양파, 버섯을 다진 다음 육수에 넣고 끓인다. 채소가 어느 정도 익으면 구운 완자를 넣고 물녹말(물:녹말가루=1:1)을 넣어 농도를 조절한다.

● 녹말가루는 친환경 숍에서 국산 녹말가루로 구입하세요.

시판 녹말가루는 대부분 중국산이랍니다. 원산지를 확인하고 구입하세요. 국산 녹말가루는 친환경 숍에서 쉽게 구입이 가능합니다. 물녹말은 물과 녹말가루를 1:1비율로 만드세요. 미리 만들면 전분이 가라앉으니 넣기 직전에 만들어서 넣으세요. 너무 많이 넣으면 육수가 뭉치니 농도를 보면서 적당히 넣으세요.

닭고기덮밥

" 닭고기덮밥은 일본식닭고기덮밥을 모티프로 만든 이유식이에요. 아기가 먹는 음식이라고 해서 매 번 죽, 미음만 먹이라는 법이 있나요. 아기들도 어른들처럼 맛있고 다양한 음식을 먹고 싶어 한답니다. 덮밥의 밥은 질게 짓고, 밥알의 크기가 부담스러우면 밥 위에 소스를 올리기 전 밥을 절구에 한 번 으깨주세요. "

재 료

- 진 밥 60g(수북하게 2큰술)
- 닭 안심 20g(1과 1/3큰술)
- 양파 10g(1큰술)
- 표고버섯 5g(1큰술)
- 달걀노른자 1개 분량
- 육수 1/4컵(60cc)

1 닭 안심, 양파, 표고버섯은 다진다.

2 육수에 닭고기, 양파, 표고버섯을 넣고 끓인다.

3 국물이 끓어오르면 약한 불로 줄여 재료를 익힌다.

4 재료가 다 익으면 달걀노른자를 풀어 돌려가며 넣고 젓지 않는다. 달걀이 다 익었으면 진 밥 위에 올린다.

● 닭 안심은 겉에 있는 얇은 막, 지방, 힘줄 등을 제거하고 조리하세요.
닭고기로 이유식을 만들 때마다 닭 안심과 닭 가슴살 중 어느 것을 사야할지 고민을 하게 됩니다. 닭 안심은 닭 가슴살보다 부드럽고 퍽퍽하지 않아요. 닭 안심 가운데 있는 하얀 심은 제거하고 조리하세요.

버섯덮밥

“저는 어렸을 때 버섯을 무척 싫어했어요. 엄마는 버섯이 맛있다고 강조하셨지만 어린 저는 버섯의 그 질감과 향이 싫더라고요. 제가 입이 짧고 많이 먹지 않아서 엄마는 그렇게 맛있는 음식을 다양하게 해주셨나봐요. 엄마의 손맛, 음식이 만들어지는 소리와 냄새…. 사랑스러운 아기에게 그런 추억을 많이 만들어 주세요.”

재 료

- ▢ 진 밥 60g(수북하게 2큰술)
- ▢ 백일송이버섯 20g(2큰술)
- ▢ 청경채(잎부분) 5g(2/3큰술)
- ▢ 양파 5g(1/2큰술)
- ▢ 당근 5g(1/2큰술)
- ▢ 육수 1/4컵(60cc)
- ▢ 물녹말 1작은술
- ▢ 참기름 약간

1 버섯과 채소는 모두 곱게 다진 후 참기름을 두른 팬에 양파, 당근, 백일송이버섯, 청경채 순으로 넣어 볶는다.

2 당근이 다 익으면 육수를 넣고 센 불에서 끓이다가 끓어오르면 약한 불로 줄여서 5분 정도 끓인다.

3 ②에 물녹말(물:녹말가루=1:1)을 돌려가면서 넣는다.

4 1분 정도 더 끓인 후 진 밥 위에 올린다.

● **버섯은 다른 재료보다 조금 작게 다지세요.**
버섯은 백만송이, 느타리, 애느타리, 표고, 팽이 등 어떤 것을 사용해도 좋아요. 버섯은 익으면 질감이 질겨지기 때문에 다른 재료보다 조금 작게 다지는 게 좋습니다.

● **팬에 채소를 볶을 때도 순서가 있어요.**
채소를 볶을 때는 양파를 먼저 넣어 향을 내고, 오래 익혀야 하는 당근을 그 다음에 넣습니다. 그리고 버섯을 넣어 볶다가 색이 변하는 잎 채소를 가장 나중에 볶으세요.

두부덮밥

❝ 두부는 고단백 식품이면서 칼슘이 풍부해 치아와 뼈의 건강 유지에 도움을 주는 식재료입니다. 두부를 구입할 때는 소포제, 유화제 등의 화학첨가물이 들어있지 않은지 꼭 확인하세요. 요즘은 화학첨가물이 들어있지 않은 무첨가 두부도 많이 파는데, 구입할 때 식품 첨가물과 원산지 그리고 GMO-Free를 꼭 확인하는 것이 중요합니다. 두부덮밥을 만들 때는 두부를 너무 작게 자르면 조리할 때 으깨지니 크게 자르고 먹일 때 으깨서 먹여주세요.❞

재 료

- 진 밥 60g(수북하게 2큰술)
- 두부 20g(1과 1/2큰술)
- 쇠고기 10g(2/3큰술)
- 양파 10g(1큰술)
- 애호박 5g(1/2큰술)
- 육수 1/4컵(60cc)
- 물녹말 1작은술
- 참기름 약간

1 두부는 끓는 물에 한 번 데친 후 다진다.

2 쇠고기, 양파, 애호박은 다진다.

3 팬에 참기름을 조금 두르고 양파, 쇠고기, 애호박 순으로 볶는다.

4 ③에 두부를 넣고 두부가 으깨지지 않게 살짝 볶은 다음 육수를 부어 센 불에 끓이다가 육수가 끓어오르면 약한 불로 줄이고 5분 정도 끓인다.

5 물녹말(물:녹말가루= 1:1)을 돌려가면서 넣는다.

6 1분 정도 더 끓인 후 진 밥 위에 올린다.

● 두부는 4종류가 있어요.
두부는 수입 콩두부, 국산 콩두부, 수입 유기농 콩두부, 국산 유기농 콩두부 이렇게 4종류가 있어요. 두부 속에 들어있는 첨가물이 꺼려지면 생수에 30분 이상 담갔다가 흐르는 물에 씻은 다음 끓는 물에 한번 데치세요.

● 두부를 장기 보관 할때는 냉동실에 보관하세요.
두부를 장기 보관할 때는 베보자기 등으로 물기를 최대한 짜낸 다음 냉동실에 보관하세요.

쇠고기숙주나물덮밥

" 숙주나물은 녹두를 콩나물처럼 기른 것인데, 녹두의 영양과 나물의 영양이 플러스 된, 몸에 아주 좋은 식재료예요. 몸 속의 노폐물을 배출할 뿐만 아니라 소화를 돕고 열을 내리는 효과도 있어요. 숙주나물의 아삭한 맛이 일품인 쇠고기숙주나물덮밥은 열감기에 걸린 아기에게 먹이기 좋은 이유식이랍니다. "

재 료

- 진 밥 60g(수북하게 2큰술)
- 숙주나물 15g(2큰술)
- 쇠고기 20g(1과 1/3큰술)
- 당근 5g(1/2큰술)
- 완두콩 5g(1/4큰술)
- 육수 1/4컵(60cc)
- 물녹말 1작은술
- 참기름 약간

1 숙주나물은 머리와 꼬리를 떼어내고 1㎝ 길이로 자른다. 쇠고기와 당근은 다지고, 완두콩은 끓는 물에 삶은 후 껍질을 벗겨 살짝 으깬다.

2 팬에 참기름을 두르고 쇠고기, 당근, 숙주나물을 넣어 볶는다.

3 당근과 숙주나물이 다 익으면 완두콩을 넣고 육수를 부은 후 센 불에서 끓인다.

4 끓어오르면 약한 불로 줄여 5분 정도 끓이다가 물녹말(물:녹말가루=1:1)을 돌려가면서 붓는다. 1분 정도 더 끓인 후 진 밥 위에 올린다.

● 숙주나물은 구입 후 바로 조리하세요.

숙주나물은 줄기가 굵고 흰색이며 뿌리가 투명한 것으로 구입하세요. 빨리 상하기 때문에 구입 후 바로 조리하고, 조리한 이유식도 빨리 먹이는 게 좋아요. 숙주나물로 만든 이유식은 냉장보관하고 이틀 안에 다 먹이세요. 남은 숙주나물은 국을 끓이거나 볶아 먹거나 삶아서 무쳐드세요.

쇠고기전 외출할 때 좋은 이유식

"이유식을 만들다보면 냉장고에 자투리 채소들이 많이 생깁니다. 쇠고기전은 고단백, 고칼로리면서 냉장고 속 자투리 채소를 정리하기도 좋은 이유식이에요. 당근, 적채, 브로콜리, 시금치, 양파 등 냉장고 속 재료들을 자유롭게 활용해주세요. 고기와 채소를 뚝딱 다져서 팬에 구우면 끝~. 간단하면서도 맛있는 한 끼 이유식이 된답니다."

재 료

- 쇠고기 100g(9과 1/3큰술)
- 두부 50g(3과 2/3큰술)
- 당근 10g(1큰술)
- 브로콜리 10g(1큰술)
- 양파 10g(1큰술)
- 포도씨유 약간

1 쇠고기는 잘게 다지고 두부는 끓는 물에 살짝 데친 다음 으깬다.

2 당근, 브로콜리, 양파는 잘게 다진다.

3 쇠고기와 두부, 준비한 채소를 한데 섞은 다음 둥글납작하게 빚는다.

4 달군 팬에 포도씨유를 약간 두르고 기름이 데워지면 키친타월로 기름을 슬쩍 닦은 후 ③을 올려 약한 불에서 타지 않게 굽는다.

● 쇠고기는 안심 부위를 구입해 칼로 직접 다져서 만드세요.
다진 쇠고기를 구입해 만들어도 되지만 아기들은 아직 면역력이 약하기 때문에 집에서 직접 다지는 게 더 좋아요. 그리고 직접 칼로 다진 고기로 만든 전이 더 맛있어요. 쇠고기 전은 외출할 때 가지고 나가기도 좋고, 전을 붙여 놓으면 아기가 간식처럼 집어 먹기도 한답니다.

멜론감자콜리플라워수프 감기와 변비에 좋은 이유식

"아기가 입맛이 없다면 멜론으로 이유식을 만들어주세요. 시원하면서도 달콤한 맛 때문에 잘 먹는답니다. 멜론은 항암효과가 뛰어나고 피로회복과 변비에 좋은 과일이에요. 메론감자콜리플라워스프는 감기와 변비에 좋은 이유식이랍니다."

재 료

- ☐ 멜론 80g(1/2컵)
- ☐ 감자 100g(5큰술)
- ☐ 콜리플라워 60g(6큰술)

1 멜론은 강판에 간다.

2 감자는 작게 썰고 콜리플라워는 작은 송이로 떼어낸 다음 끓는 물에 함께 삶는다.

3 감자와 콜리플라워가 익으면 포크나 매셔로 으깬다.

4 냄비에 감자, 콜리플라워, 멜론을 넣고 센 불에서 저어가며 끓인다. 끓어오르면 약한 불로 줄여 1분 정도 더 끓인다.

● 멜론은 그물이 굵고 선명한 것이 싱싱해요.

멜론의 제철은 6~8월이에요. 멜론은 표면의 그물이 굵고 선명하며 촘촘한 것이 좋아요. 꼭지가 싱싱하며 들어가지 않은 것을 고르세요. 색이 초록색이 아니라 회녹색을 띠고 향이 진한 것이 가장 맛있답니다.

생선완자탕 보양 이유식

“ 원래 생선 완자는 달걀흰자를 사용하지만 돌 전 아기용 이유식 생선 완자를 만들 때는 달걀노른자만 사용해요. 생선으로 이유식을 만들 때는 특히 가시에 주의하세요. 엄마가 잘 살펴보면서 만들어도 조금만 방심하면 이유식을 먹일 때 가시가 발견되기도 한답니다. ”

재 료

완자 재료

- ☐ 흰 살 생선 120g(8큰술)
- ☐ 양파 30g(3큰술)
- ☐ 달걀노른자 2개 분량
- ☐ 물녹말 2작은술

국물 재료

- ☐ 쇠고기 15g(1큰술)
- ☐ 팽이버섯 10g(2큰술)
- ☐ 표고버섯 10g(2큰술)
- ☐ 가지 15g(1과 1/2큰술)
- ☐ 근대 5g(2/3큰술)
- ☐ 육수 1과 1/2컵
- ☐ 물녹말 1큰술

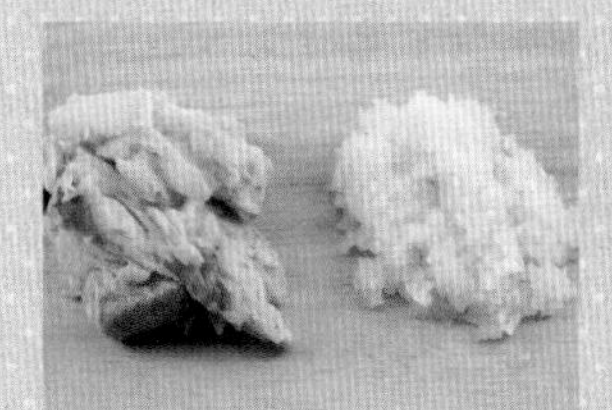

1 흰 살 생선은 찌거나 데치고 양파는 잘게 다져서 끓는 물에 삶는다.

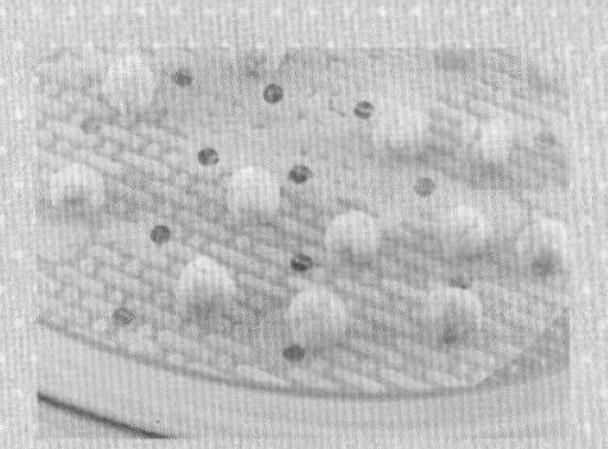

2 준비한 완자 재료를 한데 섞어 버무린 후 엄지손톱만 한 크기로 빚은 다음 김이 오른 찜기나 찜통에 10분간 찐다.

3 국물 재료의 쇠고기와 버섯, 채소는 모두 다진 다음 육수에 넣어 끓인다.

4 채소가 다 익으면 완자를 넣고 끓이다가 마지막에 물녹말을 풀어 걸쭉하게 만든다.

- **완자를 빚을 때는 생물 생선을 이용하세요.**
동태 등의 냉동 생선은 잘 빚어지지 않으니 생물 생선을 이용하세요. 국물에 들어가는 채소는 냉장고 속 자투리 채소를 자유롭게 활용하면 됩니다.

- **부드러운 완자탕을 만들려면 물녹말을 적게 넣으세요.**
완자탕의 국물을 묽게 만들고 싶을 때는 물녹말의 양을 적게 넣어 농도를 조절하면 됩니다.

크림소스소면
생선살크림소스진밥그라탱

" 크림소스소면과 크림소스진밥그라탱은 이탈리아 음식 같은 이유식이에요. 고소하면서 부드러워 아기들이 아주 잘 먹는답니다. 마지막에 달걀노른자를 체에 내려 섞는 게 맛의 포인트예요. 입맛을 깔끔하게 정리 할 피클을 원한다면 피클보다 오이를 작게 잘라서 같이 먹이는 것이 좋아요. "

• 식용유는 유리병에 든 제품을 구입하세요.
포도씨유 등의 기름을 구입할 때는 유리병에 들어 있는 것으로 구입하세요. 열을 가해 기름을 추출하기 때문에 플라스틱 용기에 들어 있는 것은 아기에게 먹이기 적합하지 않습니다.

크림소스소면

생선살크림소스진밥그라탱

크림소스소면

재 료

- 소면 1/2인분
- 쇠고기 20g(1과 1/3큰술)
- 감자 60g(3큰술)
- 양파 20g(2큰술)
- 브로콜리 15g(1과 1/2큰술)
- 팽이버섯 15g(1과 1/2큰술)
- 가지 10g(1과 1/2큰술)
- 달걀 1개
- 모유(분유 물) 3/5컵(120cc)
- 포도씨유 약간

1 소면은 반으로 잘라 끓는 물에 삶은 후 찬물에 씻어서 밀가루 냄새를 없애고, 쇠고기는 끓는 물에 삶아 다진다.

2 감자는 삶아서 으깨고 나머지 채소와 버섯은 다진다. 달걀은 삶아서 노른자만 따로 빼 체에 내린다.

3 달군 팬에 포도씨유를 두르고 양파를 볶다가 쇠고기, 팽이버섯, 브로콜리, 감자, 가지를 넣고 한번 더 볶는다.

4 ③에 모유(분유 물)를 넣고 달걀노른자를 섞으면 소스가 완성된다. 소스를 소면에 얹어 버무린다.

생선살크림소스진밥그라탱

재 료

- 밥 60g(수북하게 2큰술)
- 흰 살 생선 20g(1과 1/2큰술)
- 양파 10g(1큰술)
- 당근 5g(1/2큰술)
- 브로콜리 5g(1/2큰술)
- 삶은 달걀노른자 1개 분량
- 치즈(아기용) 1장
- 육수 50cc(1/4컵)
- 모유(분유 물) 1/4컵(50cc)

1 흰 살 생선은 가시를 제거한 후 끓는 물에 삶는다. 채소는 다지고 삶은 달걀노른자는 체에 내린다.

2 냄비에 육수를 붓고 양파, 당근, 브로콜리, 생선 살을 넣어 센 불에서 끓이다가 끓어오르면 약한 불로 줄여 끓인다.

3 채소가 다 익으면 밥과 모유(분유 물), 달걀노른자를 넣고 끓인다.

4 ③에 치즈를 넣어 섞는다.

압력솥 쇠고기영양죽 특히 잘 먹는 이유식

" 압력솥 하나 있으면 이래저래 쓰임새가 많아요. 3~5인용이면 충분합니다. 이유식은 물론 찰진 밥, 죽, 찜요리 등 많은 것을 할 수 있답니다. 압력솥을 사용한 이유식에는 재료를 자유롭게 넣어도 되지만 잎채소는 처음부터 넣으면 색이 변하기 때문에 거의 다 끓인 후 넣고 뚜껑을 연 상태로 한번 더 끓여서 완성합니다. "

재 료

- 쌀 160g(1컵)
- 모둠콩 10g(1/2큰술)
- 쇠고기 80g(5와 1/3큰술)
- 양파 20g(2큰술)
- 파프리카 15g(2큰술)
- 무 10g(1큰술)
- 배춧잎 1/2장
- 백만송이버섯 10g(2큰술)
- 표고버섯 5g(1큰술)
- 육수 3과 1/2컵(700cc)

1 모둠콩은 찬물에 불렸다가 냄비에 물과 함께 넣고 삶은 후 껍질을 벗겨 다진다.

2 준비한 고기와 채소, 버섯은 모두 잘게 다진다.

3 압력솥에 쌀과 준비한 재료, 육수를 넣은 다음 뚜껑을 닫고 센 불에서 조리한다. 추가 세게 돌기 시작하면 약한 불로 줄여 10분간 더 끓인다.

4 불을 끄고 압력솥의 김이 다 빠지면 뚜껑을 연다.

● 압력솥에서 조리할 때는 처음에는 센 불에서 끓이다가 약한 불로 줄이세요.
압력솥에 음식을 할 때는 뚜껑을 잘 닫고 김을 빼는 버튼이나 추가 잘 닫혀있는지 확인하고 불에 올리세요. 압력솥으로 밥을 지을 때는 센 불에 올렸다가 김이 올라오면서 추가 세게 돌기 시작하면 가장 약한 불로 줄여 5분 정도 더 끓인 후 불을 끄고 김이 빠져나갈 때까지 기다리면 돼요. 누룽지를 만들고 싶으면 10분 정도 약한 불에 올려두면 됩니다.

압력솥 닭죽 보양 이유식

" 압력솥 닭죽은 이유식이면서 온 가족이 함께 먹을 수 있는 영양식이에요. 압력솥에 닭죽을 끓이면 그냥 냄비에 끓이는 것보다 맛이 훨씬 더 진하답니다. 그리고 불 앞에서 계속 저어주지 않아도 되기 때문에 힘도 덜 듭니다. 한 솥 끓여서 온 가족이 함께 드세요. 아기가 좀 더 큰 후에는 파와 마늘을 넣고 끓이면 더 맛있습니다. "

재 료

- ▢ 찹쌀+멥쌀 160g(1컵)
- ▢ 영계 1마리
- ▢ 양파 1/4개(4와 1/2큰술)
- ▢ 당근 30g(3큰술)

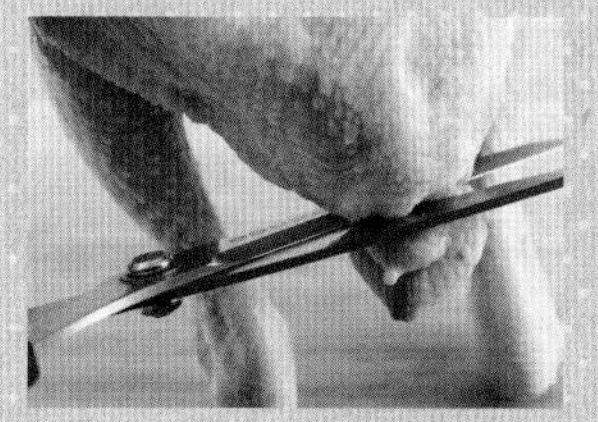

1 영계는 속에 남아있는 내장을 긁어내고 꽁지의 지방을 가위로 잘라낸 뒤 찬물에 깨끗이 씻는다.

2 압력솥에 닭을 넣고 닭이 자작하게 잠기게 물을 부어 끓인다. 추가 세게 돌면 불을 약하게 줄여 10분 정도 더 끓인다.

3 압력솥의 김을 빼고 뚜껑을 연 다음 닭을 꺼내 살만 발라내 잘게 찢는다. 닭 삶은 물은 압력솥에 그대로 둔다.

4 양파와 당근은 잘게 다진다.

5 잘게 찢은 닭고기, 찹쌀과 멥쌀, 양파, 당근을 ③의 압력솥에 다시 넣고 뚜껑을 덮어 센 불에서 끓인다.

6 추가 세게 돌기 시작하면 약한 불로 줄여 10분 정도 더 끓인다. 불을 끄고 김이 다 빠지게 뜸을 들인 후 뚜껑을 연다.

● 닭 속에 남아있는 내장은 손을 넣어 다 긁어내세요.

닭으로 이유식을 만들 때는 내장을 깨끗이 제거하고 꽁지와 주변의 기름 덩어리도 말끔히 제거한 후 조리해야 잡냄새가 나지 않고 담백한 맛이 나요. 생 닭을 만지지 못하는 분들! 아기가 잘 먹는다면 무엇이든 못하겠습니까. 용기를 내세요.

잔치국수

" 대부분의 아기들은 국수를 무척 좋아해요. 국수를 만들어주면 포크를 사용하다 못해 손으로도 막 집어 먹어요. 아기가 손으로 집어 먹고 온 바닥을 난장판으로 만들면서 이유식을 먹어도 화내지 마세요. 아기들은 지금 온몸으로 세상을 경험하고 있는 중이랍니다. "

재 료

- 소면 1/2인분
- 쇠고기 10g(1/3큰술)
- 백일송이버섯 5g(1큰술)
- 애호박 10g(1큰술)
- 당근 5g(1/2큰술)
- 달걀노른자 1개 분량
- 양파즙 1작은술
- 참기름 약간
- 육수 1/2컵

1 쇠고기와 버섯은 잘게 다져 양파즙과 참기름을 넣고 버무린 다음 팬에 볶는다.

2 애호박과 당근은 잘게 다진 후 끓는 물에 삶는다.

3 달걀노른자는 곱게 풀어 지단을 부친 후 채 썬다.

4 소면은 끓는 물에 삶은 후 찬물에 씻어서 밀가루 냄새를 없앤 다음 그릇에 담는다. 육수는 데워서 소면 그릇에 붓고 준비한 모든 재료를 고명으로 올린다.

● 쇠고기와 버섯은 약한 불에서 볶으세요.
쇠고기와 버섯을 팬에 볶을 때는 팬을 달군 다음 약한 불로 줄인 후 주걱으로 저으면서 볶으세요. 그래야 고기가 뭉치지 않는답니다.

● 애호박과 당근을 삶을 때는 당근을 먼저 삶다가 애호박을 넣으세요.
애호박과 당근을 삶을 때는 단단한 당근을 먼저 삶다가 애호박을 넣어야 골고루 익습니다. 소면은 처음부터 반으로 잘라 삶으면 삶은 후 가위로 자르지 않아도 되므로 편하답니다.

두부채소찜 외출할 때 좋은 이유식

"두부채소찜은 한 끼 식사로도 좋고 아기 간식으로도 좋은 이유식이에요. 찜에 넣을 재료는 냉장고 속 재료들로 다양하게 응용하셔도 좋아요. 식어도 맛있기 때문에 외출용 이유식으로도 적당하답니다. 유리나 도자기로 된 밀폐용기에 찐 다음 식혀서 뚜껑을 덮고 외출할 때 가지고 나가세요. 재료에 밥을 넣고 쪄도 맛있답니다."

재 료

- ▢ 두부 100g(7큰술)
- ▢ 당근 10g(1큰술)
- ▢ 양파 10g(1큰술)
- ▢ 시금치 5g(2/3큰술)
- ▢ 달걀노른자 1개 분량
- ▢ 모유(분유 물) 1/4컵(50cc)
- ▢ 다시마 물 1/4컵(50cc)

1 두부는 큼직하게 자른다.

2 당근, 양파, 시금치는 잘게 다진다.

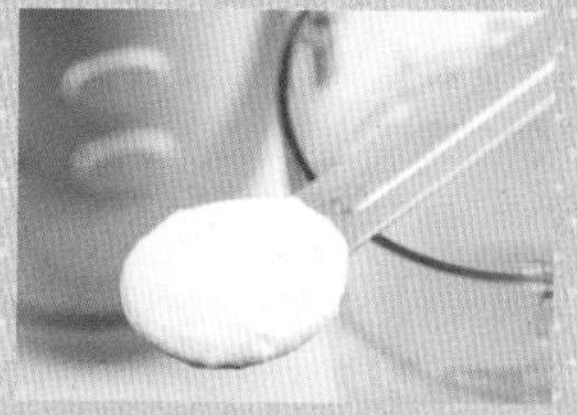

3 믹서에 두부와 달걀노른자, 모유(분유 물), 다시마 물을 넣고 간다.

4 준비한 모든 재료를 그릇에 담아 잘 섞고 김이 오른 찜기나 찜통에서 10분간 찐다.

● **전기 찜기가 있으면 찜요리가 편해져요.**

전기 찜기의 몸체가 플라스틱이라 음식이 직접 닿는 것이 걱정스럽다면 종이호일을 깔고 사용하세요. 찜통에 찔 경우에는 중간 불이나 약한 불에서 쪄야 질감이 거칠지 않은 찜이 만들어집니다.

후기 간식 1

당근스틱

재 료

- ▢ 당근 1개

1 당근은 양끝을 잘라내고 아기가 먹기 좋은 크기의 스틱 모양으로 자른다.
2 끓는 물에 당근을 넣고 아삭할 정도로 익힌다.

**이유식을 만들고 남은 당근으로 당근스틱을 만들면 치발기 과자처럼 맛있는 간식이 됩니다. 완료기에 접어들면서 단맛을 원한다면 당근 삶을 때 아가베시럽 1큰술을 넣고 삶으세요.

감자완자핑거푸드

재 료

- ▢ 감자 30g(3큰술)
- ▢ 쇠고기 10g(2/3큰술)
- ▢ 당근 10g(1큰술)
- ▢ 브로콜리 5g(1/2큰술)

1 감자는 삶아서 포크로 으깬다.
2 쇠고기는 다진 다음 팬에 볶고, 당근과 브로콜리는 끓는 물에 삶은 후 잘게 다진다.
3 으깬 감자는 동글동글하게 빚고 쇠고기, 당근, 브로콜리를 고명으로 올린다.

고구마경단

재 료

- 고구마 150g(15큰술)
- 삶은 달걀노른자 1개 분량
- 참깨 1큰술
- 모유(분유 물) 2큰술

1 고구마는 삶아서 으깨고 삶은 달걀노른자는 체에 내린다.
2 고구마, 달걀노른자, 참깨, 모유(분유 물)를 한데 섞는다.
3 ②의 반죽을 동글동글하게 빚는다.

단호박치즈버무리

재 료

- 단호박 150g(15큰술)
- 치즈(아기용) 1장
- 건포도 5개

1 단호박은 껍질을 벗겨 무르게 찐 다음 뜨거울 때 치즈와 함께 으깬다.
2 건포도는 끓는 물에 살짝 데친 다음 0.3㎝ 크기로 다진다.
3 ①에 건포도를 넣어 섞는다.

후기 간식 2

고구마밥새우전

재 료

- 고구마 150g(15큰술)
- 밥새우 1큰술
- 식용유 약간

1 고구마는 끓는 물에 삶아서 으깨고 밥새우는 잘게 다진다.
2 고구마와 밥새우를 섞어서 동글납작하게 빚고 달군 팬에 식용유를 약간 둘러 살짝 굽는다.

과일요구르트범벅

재 료

- 멜론·바나나·사과 30g씩
- 플레인 요구르트 2큰술

1 과일은 모두 사방 0.5㎝ 크기로 썬 다음 플레인 요구르트에 버무린다.

** 아기 개월 수에 맞는 과일은 무엇이든 상관없어요.

멜론젤리

재 료

- 멜론 200cc
- 판 젤라틴 6~8g(3~4장)

1 멜론은 강판에 갈고 체에 내려 즙을 짠다.
2 판 젤라틴은 찬물에 5분간 담가 부들하고 투명하게 불린 후 물기 꼭 짠다.
3 냄비에 멜론 즙을 넣고 따끈할 정도로 데운 후 판 젤라틴을 넣는다.
4 ③을 저어가며 녹인 후 틀에 붓고 냉장고에서 2시간 동안 굳힌다.

단호박찐빵

재 료

- 단호박 100g(10큰술)
- 밀가루 100g(1컵)
- 베이킹파우더 1/2작은술
- 두유 50㎖

1 단호박은 무르게 찐 다음 뜨거울 때 포크로 으깬다.
2 밀가루와 베이킹파우더는 섞어서 체에 내린다.
3 밀가루와 베이킹파우더, 단호박, 두유를 한데 넣고 섞는다.
4 ③의 반죽을 동글하게 빚은 후 김 오른 찜통이나 찜기에서 15분간 찐다.

이유식 1일 횟수 3회(간식1~2회)
이유식 한 끼 분량 120~180cc
1일 수유량 400~500㎖

chapter 04

완료기 이유식 (만 12개월 이상)

완료기 이유식에 접어들면 첫 돌이 지났고 어른처럼 음식에 간을 하는 것에 대해 고민을 하게 됩니다. 많은 아기들이 돌 이후 갑자기 이유식을 잘 안 먹는 시기가 오는데, 그때 바로 간을 하는 것에 타협을 하게 되지요. 많은 이유식 책에서 두 돌 전까지는 간을 절대 하지 말라고 당부하지만 현실적으로 쉽지 않습니다. 그래서 생각한 것이 좋은 소금과 유기농 간장, 아가베 시럽을 사용하는 거예요. 설탕과 조미료는 사용하지 않고, 소스류도 시판소스는 사용하지 마세요. 완료기가 되면 '아기에게 무엇을 어떻게 먹일까'에 대한 대답은 엄마 스스로가 판단하는 것입니다. 정답은 없습니다. 아기에 따라서 다르겠지만 돌이 지났다고 간이 센 음식, 어른처럼 먹이는 밥은 금물이에요. 이 때의 식습관이 평생 간다는 사실을 명심하세요.

아기의 상황에 따른 맞춤 이유식 재료

알레르기·아토피 알레르기나 아토피가 있다면 고위험군에 속하는 이유식 재료는 돌 이후에 먹이는 게 안전합니다. 만일 이상 반응(두드러기, 설사 등)을 보인다면 잠시 쉬었다가 나중에 다시 시도하세요. 두부, 콩류, 달걀, 생선, 밀가루가 포함된 음식, 유제품을 제외하고 초기 이유식에 들어간 재료 중 이상 반응이 없는 재료로 만든 이유식은 먹여도 됩니다.

감기 감자, 양배추, 브로콜리, 오이(열 감기), 단호박, 고구마, 사과, 배, 닭고기, 무(기침 감기), 당근, 대추, 배추, 아욱(기침 감기), 연근(열 감기), 감, 콩나물, 숙주(열 감기), 파, 파프리카, 콩나물

변비 양배추, 브로콜리, 고구마, 청경채, 잘 익은 바나나, 사과, 자두, 살구, 시금치, 배추, 건포도, 아욱, 미역, 우엉, 플레인 요구르트

설사 찹쌀, 감자, 완두콩, 단호박, 익힌 사과, 쇠고기, 차조, 익힌 당근, 대추, 흰살 생선, 감

빈혈 브로콜리, 콜리플라워, 완두콩, 시금치, 미역, 달걀노른자, 대추, 강낭콩, 표고버섯, 우엉, 멸치, 깨, 치즈, 선지, 마늘종, 홍합

식욕부진·보양식 구기자, 대추, 전복, 낙지, 알

특히 잘 먹는 이유식 약밥, 꼬마김밥, 쇠고기파인애플볶음밥, 굴 넣은 알탕, 선짓국, 닭시금치국, 과일 양념 돼지고기, 베이비립구이, 닭봉구이, 미니떡국

외출 꼬마김밥, 유부초밥, 볶음밥류, 밥전, 베이비립구이, 닭봉구이, 후리가케를 이용한 비빔밥과 주먹밥

사용하는 양념 : 간장, 소금, 아가베 시럽

소금 전기와 여과장치를 통해 바닷물에서 염화나트륨만 뽑아낸 정제염은 미네랄 성분이 포함되지 않은 짠맛만 나는 소금입니다. 맛소금은 화학조미료가 첨가된 소금이고요. 좋은 소금은 미네랄이 풍부하고 적당한 짠맛 끝에 단맛이 느껴지는 소금입니다. 천일염이나 호수소금을 추천합니다.

간장 간장은 첨가물이 들어 있지 않고 양조간장에 산분해 간장을 섞은 혼합 간장이 아닌 저염 유기농 간장을 추천합니다.

아가베시럽 멕시코 선인장에서 추출한 단맛이 나는 시럽입니다. 천연 유기농 제품이고 혈당 상승 지수도 설탕보다 1/3이나 낮아서 아기들이 먹어도 안전합니다. 꿀도 많이 사용하는데, 꿀은 믿을 수 있는 제품이 아니면 안 먹는 게 좋습니다. 흑설탕이나 황설탕을 구입할 경우 색을 내기 위한 캐러멜 색소가 들어 있지 않은지 확인하세요. 설탕을 사용할 경우 유기농 비정제 설탕을 추천합니다.

전복죽 · 쇠고기낙지죽 (보양 이유식)

“ 많은 아기들이 첫돌을 전후해서 돌치레를 해요. 갑자기 이유식을 먹는 양이 확 줄어들기도 하죠. **이때 아기의 입맛을 돋우고 몸보신도 확실하게 해주는 보양 이유식이 바로 전복죽과 쇠고기낙지죽이랍니다.** 살아있는 꽃게나 대게를 찐 다음 살을 발라 죽을 끓여도 좋아요. 꽃게 한 마리의 살을 발라내면 약 40g 정도 분량의 살이 나온답니다. ”

전복죽

재 료

- ☐ 쌀 35g(2와 1/3큰술)
- ☐ 전복 1마리(30g)
- ☐ 양파 20g(2큰술)
- ☐ 당근 10g(1큰술)
- ☐ 참기름 약간
- ☐ 물 2와 1/2컵

*쌀은 미리 20분 이상 물에 불린다.

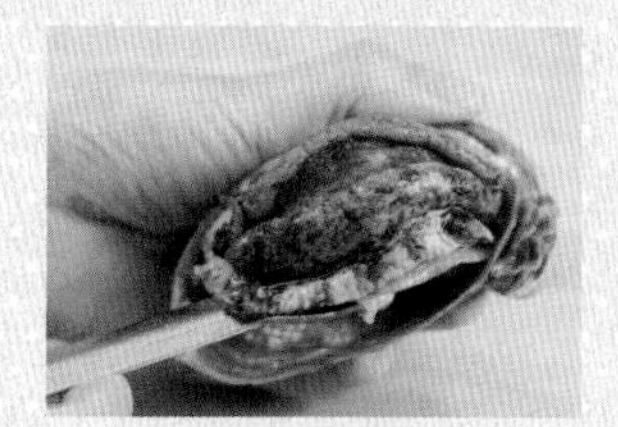

1 전복은 껍질에서 살을 떼어 낸다.

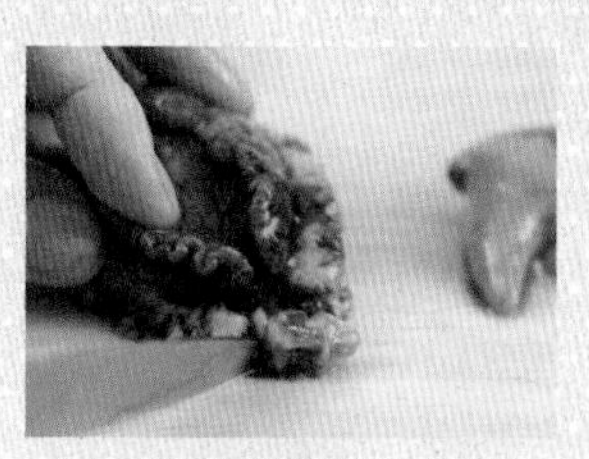

2 전복의 입과 내장을 칼로 잘라낸 후 작게 썬다.

3 전복은 물 1/4컵을 넣어 믹서에 갈고 양파와 당근은 0.6cm 크기로 다진다.

4 냄비에 참기름을 두르고 전복, 양파, 당근, 쌀을 볶는다. 쌀이 하얗게 되면 나머지 물을 붓고 센 불에서 끓이다가 약한 불로 줄여 쌀이 푹 퍼질 때까지 끓인다.

쇠고기낙지죽

재 료

- ☐ 쌀 35g(2와 1/3큰술)
- ☐ 산낙지 30~40g(다리 2개)
- ☐ 쇠고기 20g(1과 1/3큰술)
- ☐ 양파 10g(1큰술)
- ☐ 애호박 10g(1/3큰술)
- ☐ 당근 5g(1/2큰술)
- ☐ 청경채(잎 부분) 5g(2/3큰술)
- ☐ 참기름 약간
- ☐ 물 2와 1/2컵

*쌀은 미리 20분 이상 물에 불린다.

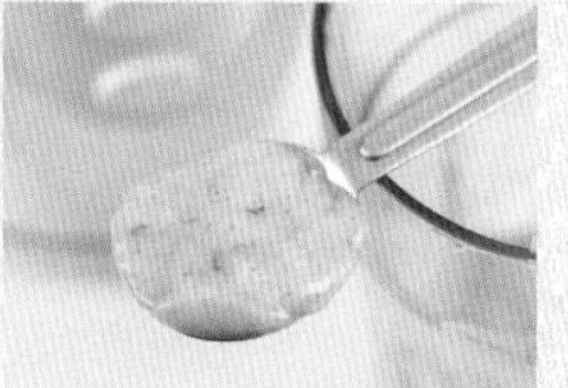

1 산낙지는 손질한 후 믹서에 물을 조금 넣고 살짝 간다.

2 쇠고기는 핏물을 뺀 다음 0.5cm 크기로 썰고 양파, 애호박, 당근, 청경채도 0.5cm 크기로 썬다.

3 달군 냄비에 참기름을 두르고 쌀과 쇠고기를 넣은 후 재료에 기름이 스며들 때까지 볶다가 양파, 당근, 애호박을 넣고 분량의 물을 부어 끓인다.

4 물이 끓어오르면 낙지를 넣고 푹 퍼질 때까지 끓인다. 거의 다 익으면 청경채를 넣고 한소끔 끓인다.

콩나물새우진밥

" 새우는 칼슘이 많이 들어있어서 성장 발달에 좋고, 콩나물은 비타민 C가 많아 피로 회복에 좋아요. 활동량이 많아진 아기에게 피로 회복에 좋은 고단백 이유식을 만들어주세요. 진밥을 만들 때는 아기가 받아들이는 정도에 따라 밥알을 퍼지게 만들 수도, 밥알을 조금 으깨서 만들 수도 있으니 내 아기에 맞게 조절해 주세요. "

재 료

- 밥 60g(수북하게 2큰술)
- 새우(중하) 20g(2큰술)
- 콩나물 15g(2큰술)
- 육수 1/2컵

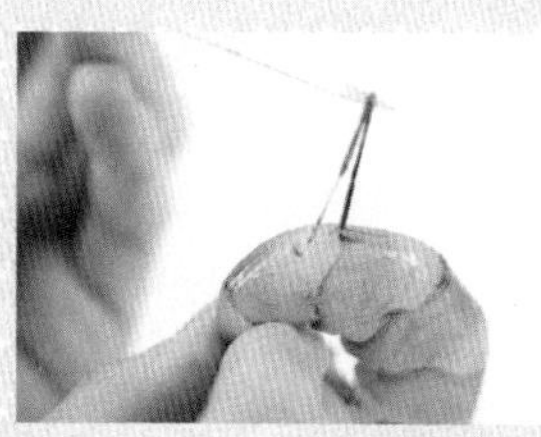

1 새우는 머리를 떼어내고 껍질을 제거한 후 등쪽의 내장을 꺼낸다. 짠맛이 강한 칵테일 새우를 구입했을 경우 물에 담가 짠맛을 제거한다.

2 새우는 0.3~0.4cm 크기로 다진다.

3 콩나물은 머리와 꼬리를 제거하고 1cm 길이로 자른다.

4 육수에 콩나물을 넣고 센 불에서 끓이다가 끓어오르면 밥과 새우를 넣는다. 국물이 다시 끓어오르면 약한 불로 줄여 밥이 퍼질 때까지 끓인다.

● 콩나물은 몸통만 사용하세요.
콩나물의 머리와 꼬리는 아기가 먹기에 부담스러우니 제거하세요.

● 짠맛이 있는 새우는 사용하지 마세요.
간혹 짠맛이 나는 새우가 있어요. 이런 새우는 사용하지 마세요. 이유식을 만들 때 가장 좋은 것은 싱싱한 중하랍니다. 새우 머리는 버리지 말고 냉동실에 보관했다가 육수를 만들 때 활용하면 좋아요.

약밥 (특히 잘 먹는) 이유식

" 약밥은 한 끼 식사로도, 간식으로도, 외출할 때도 좋은 이유식이에요. 첫돌이 지나 간장과 아가베시럽을 조금 넣어서 만들었더니 아기가 정말 잘 먹더라고요. 견과류는 집에 있는 것으로 넣으면 됩니다. 건포도는 철분이 많아 이유식에 넣거나 가지고 다니면서 아기에게 간식으로 주면 좋아요. 건포도는 유기농 제품으로 구입하는 게 좋습니다. 간을 하는 것이 부담스럽다면 이 레시피는 나중에 활용해 주세요. "

재 료

- ▢ 찹쌀 170g(1컵)
- ▢ 밤·호두·건포도·잣 등 견과류 약간씩
- ▢ 간장 1과 1/2큰술
- ▢ 참기름·아가베시럽 1작은술씩
- ▢ 물 3/4컵

1 찹쌀은 미리 물에 2시간 이상 불리고 체에 밭쳐 물기를 뺀다.

2 볼에 물, 간장, 참기름, 아가베시럽을 섞는다.

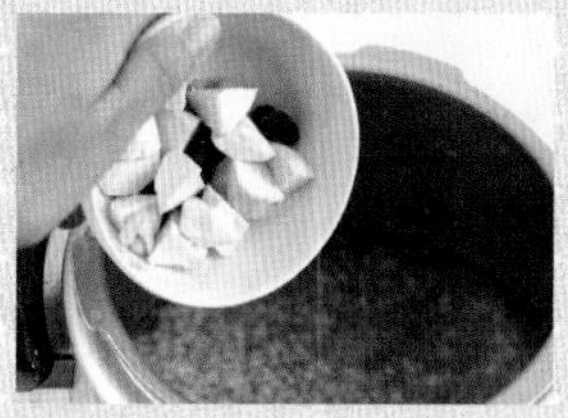

3 밤과 호두는 아기가 먹기 좋은 크기로 썰어 찹쌀, 건포도, 잣과 함께 압력솥에 넣고 ②의 물을 붓는다.

4 센 불에서 끓이다가 추가 세게 돌기 시작하면 가장 약한 불로 줄여 5~7분간 더 끓인다. 김이 빠지면 뚜껑을 연다.

● 찹쌀은 꼭 미리 불리세요.
찰지고 쫀득한 약밥을 만들려면 찹쌀은 2시간 이상 미리 불려두는 게 좋아요. 여기에 사용한 압력솥은 3인용 압력솥인데, 10인분 이상의 전기 압력솥을 사용할 경우 분량을 2배로 늘리고 잡곡 코스로 조리하면 됩니다.

● 간장은 천연 양조간장을 사용하세요.
간장을 고를 때는 혼합 간장이나 합성 첨가물이 들어있지 않는 제품으로 고르세요. 제품 뒷면에 첨가물들이 복잡하게 적혀있지 않은 간장이 좋습니다.

카레라이스

" 카레는 순한 맛으로 준비하고, 색과 향이 날 정도로만 아주 조금 넣으세요. 흔히 구할 수 있는 카레는 인공 첨가물이 많이 들어있어요. **유기농 숍에서 첨가물이 들어있지 않은 카레를 구입하세요.** 첨가물에 익숙해진 입맛에는 맛이 없을 수도 있겠지만 아직 첨가물이 뭔지 모르는 아기에게는 처음부터 이것이 카레 맛이라고 알려주시는 것이 좋아요. "

재 료

- ☐ 쇠고기(혹은 돼지고기 안심) 40g(1과 2/3큰술)
- ☐ 양파 30g(3큰술)
- ☐ 애호박 20g(1과 1/3큰술)
- ☐ 감자 15g(1큰술)
- ☐ 당근 10g(1큰술)
- ☐ 사과 20g(2큰술)
- ☐ 물 1/4컵
- ☐ 우유 1/2컵
- ☐ 카레 가루 10g(1큰술)
- ☐ 물녹말 1작은술
- ☐ 포도씨유 약간

1 쇠고기와 채소는 0.5㎝ 크기로 다지고, 사과는 강판에 간다.

2 냄비를 살짝 달궈 포도씨유를 두르고 쇠고기와 채소를 모두 넣어 볶는다.

3 ②에 분량의 물을 붓고 사과 간 것을 넣은 후 채소가 익을 때까지 끓인다.

4 우유와 카레 가루를 넣고 한소끔 끓인 후 물녹말(물:녹말가루=1:1)을 넣어서 농도를 조절한다.

● 물녹말 대신 찹쌀가루나 감자가루로 대체 가능해요.
물녹말은 물과 녹말가루의 비율을 1:1로 섞어서 만드세요. 물녹말 대신 찹쌀가루나 감자 가루를 넣어서 농도를 조절해도 좋아요.

● 우유와 사과를 넣으면 부드럽고 풍미가 더 좋은 카레를 만들 수 있어요.
분량의 물에 우유를 넣거나 사과, 파인애플을 갈아서 넣으면 맛이 더 좋아져요.

● 고기와 채소는 기름에 볶지 않고 끓여서 조리해도 좋아요.
고기와 채소는 기름에 볶는 것이 더 맛있지만 기름 사용을 줄이려면 재료를 볶지 말고 물에 끓여서 카레를 만드세요.

콩나물국·날치알밥

"날치알은 단백질과 미네랄이 풍부해서 아기들의 성장 발달에 좋아요. 그리고 톡톡 씹히는 맛 때문에 먹는 즐거움도 있고요. **날치알을 구입하실 때는 인공 식품 첨가물과 색소를 넣지 않은 날치알로 구입하세요.** 콩나물국의 간은 소량의 소금이나 새우젓으로 하세요. 간을 하지 않으셔도 좋아요."

● 날치알은 소포장된 제품을 구입하세요.

날치알은 해동하고 난 후 남은 것은 다시 냉동실에 넣게 되는데, 한 팩씩 소포장된 제품을 구입하면 위생적으로 먹을 수 있어요. 양이 많은 제품을 구입했다면 한 번 쓸 만큼씩 칼집을 내서 냉동실에 넣어 한 조각씩 꺼내 사용하면 됩니다. 짠맛을 줄이려면 물에 담근 다음 사용하세요.

콩나물국

재 료

- ☐ 콩나물 40g(5큰술)
- ☐ 다진 파 1/2작은술
- ☐ 새우젓 약간
- ☐ 물 1과 1/2컵

1 콩나물은 머리와 꼬리를 제거하고 1cm 길이로 자른다.

2 냄비에 분량의 물을 붓고 콩나물을 넣은 후 센 불에서 끓인다.

3 끓어오르면 중간 불로 줄이고 다진 파를 넣는다.

4 ③에 새우젓을 다져 넣고 5분 정도 더 끓인다.

날치알밥

재 료

- ☐ 진 밥 60g(수북하게 2큰술)
- ☐ 양파 5g(1/2큰술)
- ☐ 애호박 5g(1/2큰술)
- ☐ 당근 5g(1/2큰술)
- ☐ 날치알 1작은술
- ☐ 김가루·포도씨유 약간씩

1 양파, 애호박, 당근은 0.7cm 크기로 다진다.

2 달군 팬에 포도씨유를 두르고 양파와 애호박, 당근을 볶는다.

3 ②에 진 밥과 날치알을 넣고 한 번 더 볶는다.

4 ③에 김가루를 뿌리고 골고루 비빈다.

꼬마김밥 외출할 때 좋은 이유식

" 외출이나 나들이 갈 때 좋은 이유식인 꼬마김밥이예요. 간단한 주먹밥도 좋지만 나들이 분위기에는 김밥이 딱 맞지요. 집에서 만든 김밥이 먹고 싶을 때 김밥을 싸면서 아기도 먹을 수 있게 작게 만들면 좋아요. **단무지는 짜기 때문에 꼭 물에 담가 짠맛을 우린 다음 넣어주세요.** 단무지를 빼고 김밥을 만들어도 아기들은 잘 먹는답니다. "

재 료

- ☐ 진 밥 200g(7큰술)
- ☐ 단무지 1줄
- ☐ 달걀 1개
- ☐ 시금치 10g(2/3큰술)
- ☐ 당근 5g(1/2큰술)
- ☐ 쇠고기 20g(1과 1/3큰술)
- ☐ 김밥용 김 1장
- ☐ 참기름·포도씨유 약간씩

1 단무지는 9㎝ 길이로 얇게 썰고 물에 담가 짠맛을 제거한다.

2 달걀을 곱게 풀어 지단을 부친 후 9㎝ 길이로 얇게 채 썬다.

3 시금치는 끓는 물에 데친 후 물기를 꼭 짜서 다진다.

4 당근은 얇게 채 썬 다음 포도씨유를 살짝 두른 팬에 볶는다. 쇠고기도 다져서 볶는다.

5 김은 4등분 한다. 밥은 참기름을 넣어 섞는다.

6 김 한 장을 깔고 그 위에 밥을 편 다음 준비한 재료들을 넣고 돌돌 만다.

● 김밥용 김 1장을 4등분 하면 아기가 먹기 좋은 크기가 돼요.
김밥용 김 1장을 4등분 하면 아기용 꼬마김밥을 싸기 좋은 크기가 됩니다. 김밥을 자를 때는 칼에 참기름을 조금 묻혀서 자르면 깔끔하게 잘린답니다.

● 단무지를 구입할 때는 인공식품첨가물이 들어 있지 않은지 꼭 확인하세요.
시중에 파는 단무지에는 인공식품첨가물이 많이 들어 있어요. 요즘은 무첨가단무지도 쉽게 구할 수 있으니 인공식품첨가물이 들어있진 않은지 꼭 확인하고 구입하세요.

쇠고기밥전

"어떤 날은 아기 밥 챙겨주기도 귀찮고, 아기가 이유식을 흘려 난장판이 된 주방을 치우는 것도 싫은 날이 있지요. 이럴 때는 만들기도 간단하면서 뒷처리도 깔끔하게 할 수 있는 이유식이 바로 밥으로 만든 전이랍니다. 한 끼 식사로 먹이기에도 충분해요. 밥전의 재료는 버섯 이외에 집에 있는 채소는 무엇이든 상관없으니 다양하게 응용해 주세요."

재 료

- 진 밥 60g(수북하게 2큰술)
- 쇠고기 50g(3과 1/3큰술)
- 백일송이버섯 5g(1큰술)
- 다진 파 1/2작은술
- 다진 마늘 1/3작은술
- 간장·아가베시럽·참기름·포도씨유 약간씩

1 쇠고기는 핏물을 빼서 다지고 백일송이버섯도 다진다. 다진 파, 다진 마늘도 준비한다.

2 볼에 진 밥과 ①의 준비한 재료, 간장, 아가베시럽, 참기름을 넣어 골고루 섞는다.

3 ②를 손바닥 반 만한 크기로 동글 납작하게 빚는다.

4 달군 팬에 포도씨유를 두른 다음 기름이 데워지면 키친타월로 기름기를 닦은 후 밥전을 올려 약한 불에서 타지 않게 굽는다.

● 채소를 다지는 게 번거롭다면 다지기를 하나 장만하세요.
채소 다지기(야채 다지기)가 하나 있으면 정말 편해요. 채소 다지기 중 위에서 아래로 치는 방식은 세척하기 힘들고, 잘못하면 손목에 무리가 갈 수 있으니 권하지 않습니다.

● 간장과 아가베시럽은 기호에 맞게 아주 조금씩 넣으세요.
간을 하고 싶다면 간장, 아가베시럽을 아주 조금만 넣으세요. 간은 하지 않아도 상관없습니다.

돼지고기파인애플볶음밥

"돼지고기는 중금속을 해독하고 소화가 잘 되며 영양이 풍부해서 아기들의 **성장 발달에 좋아요.** 돼지고기와 파인애플로 태국식 볶음밥을 만들어주세요. 파인애플의 달콤한 맛이 천연 조미료 역할을 해서 밥 한 공기는 금방 뚝딱이랍니다."

재 료

- ☐ 밥 60g(수북하게 2큰술)
- ☐ 돼지고기 30g(2큰술)
- ☐ 당근 10g(1큰술)
- ☐ 감자 10g(2/3큰술)
- ☐ 애호박 10g(1/3큰술)
- ☐ 파인애플 10g(1/2큰술)
- ☐ 양파 10g(1큰술)
- ☐ 다진 파 5g(1작은술)
- ☐ 물 3큰술
- ☐ 포도씨유 약간

1 돼지고기는 다지고 당근, 감자, 애호박, 파인애플, 양파는 0.5㎝ 크기로 썬다.

2 달군 팬에 포도씨유를 두른 다음 기름이 데워지면 키친타월로 기름기를 닦은 후 양파와 다진 파를 볶는다.

3 ②에 돼지고기, 당근, 감자, 애호박, 파인애플 순서로 넣어서 볶는다.

4 당근과 감자가 어느 정도 익으면 밥과 분량의 물을 넣고 고루 섞어가면서 볶는다.

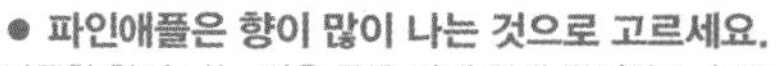

● 돼지고기는 안심이나 우둔살(다짐육)을 사용하세요.
돼지고기를 사용할 때는 안심이나 우둔살(다짐육)이 좋아요. 돼지고기 대신 쇠고기, 닭고기, 새우 등 다양한 재료를 응용해서 만드세요.

● 파인애플은 향이 많이 나는 것으로 고르세요.
달콤한 향이 나는 것은 물론 아래 쪽이 묵직하고 손으로 눌렀을 때 말랑말랑한 곳이 없는 것을 고르세요.

● 볶음밥을 만들 때는 물을 조금 넣으세요.
완료기 볶음밥을 만들 때 물을 조금 넣으면 밥이 물러져 아기들이 먹기 좋은 무른 볶음밥이 됩니다.

새우무른볶음밥·새우전핑거푸드

“새우는 고단백 식품으로 칼슘이 풍부하고 각종 비타민과 무기질이 다량 함유되어 있어 아기들의 성장 발달에 좋아요. 게다가 맛까지 좋으니 새우를 넣어서 이유식을 만들면 아기가 잘 먹는답니다. 이유식에 새우를 넣으면 따로 간을 하지 않아도 살짝 간이 되기 때문에 아기들이 더 좋아하는 것 같아요.”

새우무른볶음밥

재 료

- ☐ 쌀 30g(2큰술)
- ☐ 새우(대하) 2마리
- ☐ 배춧잎 10g(1큰술)
- ☐ 콜리플라워 10g(1큰술)
- ☐ 양파 15g(1과 1/2큰술)
- ☐ 당근 15g(1과 1/2큰술)
- ☐ 수제 버터 3g(1/3큰술)
- ☐ 육수 1과 1/2컵

* 쌀은 미리 20분 이상 물에 불린다.

* 수제 버터 만드는 법은 p.293 참고.

1 팬에 쌀과 육수 1/2컵을 넣고 섞으면서 쌀이 반 정도 익을 때까지 볶는다.

2 새우는 찜통에 쪄서 껍질을 벗기고 등쪽의 내장을 제거한 후 다진다.

3 배춧잎과 콜리플라워, 양파, 당근은 다진다.

4 달군 팬에 수제 버터를 넣은 다음 준비한 채소와 새우를 넣고 볶다가 채소가 반 정도 익으면 ①과 나머지 육수를 넣고 쌀이 다 익을때까지 끓인다.

새우전핑거푸드

재 료

- ☐ 새우(대하) 7마리
- ☐ 양파 15g(1과 1/2큰술)
- ☐ 당근 10g(1큰술)
- ☐ 달걀노른자 5개 분량
- ☐ 밀가루·포도씨유 약간씩

1 새우는 껍질을 벗기고 등쪽의 내장을 제거한 후 찐득할 정도로 곱게 다진다.

2 양파와 당근은 아주 잘게 다진다.

3 새우와 채소를 섞은 후 엄지손톱보다 조금 큰 크기로 동글 납작하게 빚는다. 달걀노른자는 곱게 푼다.

4 새우 완자를 밀가루와 달걀물 순으로 옷을 입히고 포도씨유를 두른 달군 팬에 올려 노릇하게 굽는다.

된장국·오이냉국

"완료기 이유식부터 밥, 국, 반찬으로 된 이유식을 먹이기 시작해요. 어른 밥상처럼 차리게 되죠. 완료기 이후에도 한동안 계속 죽을 먹는 아기들도 있는데, 서서히 고형식 연습을 시키세요. 하지만 어른 음식처럼 짠 음식은 금물입니다. 어른 국을 끓일 때 간을 하기 전 아기용 국은 미리 덜어두면 편해요."

● **다시마새우 육수도 맛있어요.**
다시마 물을 내는 것처럼 찬물에 다시마를 넣고 우리다가 마른 새우를 넣고 불에 올리세요. 물이 끓어오르면 거품을 걷어내고 다시마만 건져냅니다. 5분 정도 더 끓이다가 불을 끄고 체에 거르면 됩니다.

된장국

재 료

- ▢ 감자 20g(2큰술)
- ▢ 양파 10g(1큰술)
- ▢ 당근 10g(1큰술)
- ▢ 두부 40g(3큰술)
- ▢ 된장 1/3작은술
- ▢ 다시마 물 1과 1/2컵

* 다시마 물 만드는 법은 p.77 참고.

1 감자, 양파, 당근은 0.7㎝ 크기로 썬다.

2 두부는 작은 크기로 깍뚝 썬다.

3 다시마 물에 ①의 채소를 넣고 된장을 체에 풀어 넣은 다음 센 불에서 끓인다.

4 끓어오르면 약한 불로 줄여 두부를 넣고 감자와 당근이 익을 때까지 끓인다.

오이냉국

재 료

- ▢ 다시마 1장(사방 3㎝ 길이)
- ▢ 마른 새우 20마리
- ▢ 마른 미역 1/3큰술
  (불려 다진 미역 1큰술)
- ▢ 오이 15g(1큰술)
- ▢ 식초 1방울
- ▢ 깨 1/4작은술
- ▢ 물 1과 1/2컵

1 분량의 물에 다시마와 새우를 넣고 끓여 육수를 만든다. (만드는 법은 p.226 Tip 참고.)

2 마른 미역은 물에 불린 다음 끓는 물에 한 번 데치고 0.5㎝ 크기로 다진다.

3 오이는 껍질과 씨를 제거하고 0.5㎝ 크기로 다진다.

4 육수는 차게 식힌 후 미역, 오이, 식초를 넣고 깨를 뿌린다.

아욱배춧국·닭시금치국

" 아욱배춧국과 닭시금치국은 어른과 아기가 함께 먹을 수 있어요. 아기용으로 간을 거의 하지 않고 끓이다가 양념을 조금 추가하면 어른 식탁에도 올릴 수 있답니다. **밥과 국을 먹일 때, 국에 밥을 말아서 먹이지 마세요.** 잘 씹지 않고 넘기게 되어 위에 부담이 가기 때문에 밥은 국에 적셔서 먹이거나 따로 먹이는 게 좋아요. "

아욱배춧국

재 료

- 아욱(잎 부분) 20g(2큰술)
- 배추 20g(1과 2/3큰술)
- 보리새우 1큰술
- 다진 파 1/2작은술
- 다시마 물 1컵

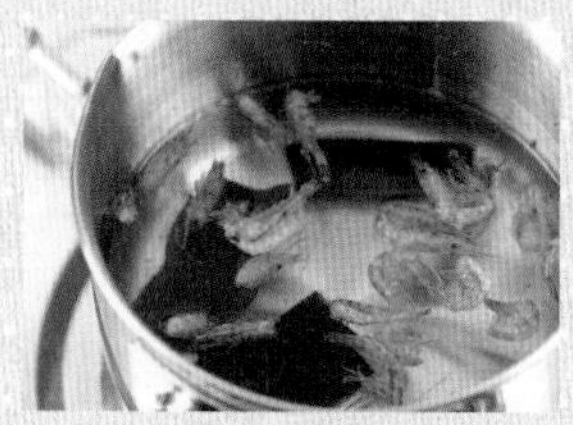

1 끓는 다시마 물에 보리새우를 넣고 한소끔 끓인 후 건지를 건져낸다.

2 아욱은 줄기를 잘라내고 잎만 0.7㎝ 크기로 썰고, 배추도 0.7㎝ 크기로 썬다.

3 ①에 아욱과 배추, 다진 파를 넣고 센 불에서 끓인다.

4 끓어오르면 중간 불로 줄여 5분 정도 더 끓인다.

닭시금칫국

재 료

- 닭 안심 2쪽(70g)
- 시금치 20g(4큰술)
- 된장 1/3작은술
- 육수 1과 3/4컵

1 닭 안심은 끓는 육수에 삶은 다음 잘게 다진다.

2 시금치는 사방 0.7㎝ 크기로 썬다.

3 육수에 닭 안심, 시금치를 넣고 된장을 체에 풀어 넣은 다음 센 불에서 끓인다.

4 국물이 끓어오르면 중간 불로 줄여 3~4분 정도 더 끓인다.

전복미역국 변비 걸린 아기에게 좋은 이유식

"전복미역국은 산모들이 산후 조리할 때 먹어도 좋은 국이에요. 변비로 힘들어 하는 아기에게 먹여도 좋고 허약 체질 개선에도 좋은 고단백 보양 이유식이에요. **전복은 볶으면 연해지기 때문에 크기가 조금 커도 아기가 부담 없이 먹을 수 있어요.** 만약 아기가 먹기 힘들어 하거나 아직 이가 몇 개 나지 않았다면 좀 더 작게 잘라주세요."

재 료

- ☐ 전복 30g(1마리)
- ☐ 마른 미역 1큰술 (불린 미역 1/2컵)
- ☐ 참기름·국간장 약간씩
- ☐ 물 1과 3/4컵

1 전복은 껍질에서 살을 떼어 낸 다음 내장과 입을 제거하고 0.5㎝ 크기로 자른다.

2 마른 미역은 물에 불린 다음 끓는 물에 한 번 데쳐 0.5㎝ 크기로 다진다.

3 달군 냄비에 참기름을 두르고 전복과 미역을 달달 볶는다. 기름이 보이지 않을 만큼 볶아야 참기름이 겉돌지 않는다.

4 ③에 분량의 물을 붓고 국간장을 약간 넣어 센 불에서 끓이다가 끓어오르면 약한 불로 줄여서 한소끔 끓인다.

● 전복은 큰 것으로 구입하세요.
국산 전복은 모양이 타원형이고 살이 통통하게 올랐으며 살에 상처가 없어요. 전복은 같은 값이면 크기가 큰 것이 좋아요.

● 전복 살을 떼어낼 때는 숟가락을 이용하세요.
전복 살을 떼어낼 때 칼은 위험해요. 입쪽으로 숟가락을 넣어서 살을 떠내듯이 살과 껍질을 분리하면 됩니다.

● 국간장은 팔팔 끓여야 간장 냄새가 나지 않아요.
국간장으로 간을 할 때는 국간장을 넣고 팔팔 끓이세요. 뜨거울 때는 음식이 싱겁게 느껴지므로 국이 짜지지 않게 조심하세요.

쇠고기굴탕국·굴 넣은 알탕

보양 이유식

" 굴은 '바다의 우유'라고 불릴 정도로 몸에 좋은 음식이에요. 비타민, 칼슘, 단백질, 유기질이 많이 함유되어 있어서 성장 발달과 면역력을 키워준답니다. 그리고 빈혈에 특히 좋은 재료이기도 해요. 굴은 11월부터 4월까지가 제철이에요. 살이 희고 통통하며 주위의 막이 검을수록 신선하고 맛있답니다. "

쇠고기굴탕국

재 료

- ☐ 쇠고기 20g(1과 1/3큰술)
- ☐ 굴 30g(4~5개)
- ☐ 무 5g(1/2큰술)
- ☐ 다진 파 1/2작은술
- ☐ 다시마 물 1과 3/4컵

1 쇠고기와 굴은 0.5㎝ 크기로 다진다.

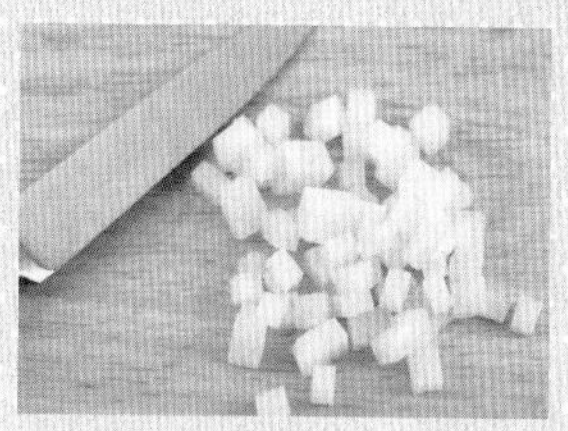

2 무는 0.5㎝ 크기로 깍뚝썰기 한다.

3 다시마 물을 끓이다가 쇠고기와 무를 넣고 끓인다.

4 무가 하얗게 익으면 굴과 다진 파를 넣고 센 불에서 끓이다가 약한 불로 줄여서 3분 정도 더 끓인다.

굴 넣은 알탕

재 료

- ☐ 명란·굴·곤이 50g씩
- ☐ 무 15g(1과 1/2큰술)
- ☐ 다진 파 1/2작은술
- ☐ 다진 마늘 1/3작은술
- ☐ 새우젓 약간

육수 재료

- ☐ 새우·다시마·무·파 적당량씩

1 냄비에 반 정도 물을 붓고 육수 재료를 넣어 끓인 후 건지를 건져낸다.

2 명란, 굴, 곤이는 소금 물에 살살 흔들어가며 씻은 다음 적당한 크기로 자른다. 무는 0.5㎝ 크기로 깍뚝 썬다.

3 ①의 육수 1과 3/4컵에 무를 넣어 끓이다가 무가 익으면 명란, 굴, 곤이를 넣는다. 명란은 육수가 끓을 때 넣어야 퍼지지 않는다.

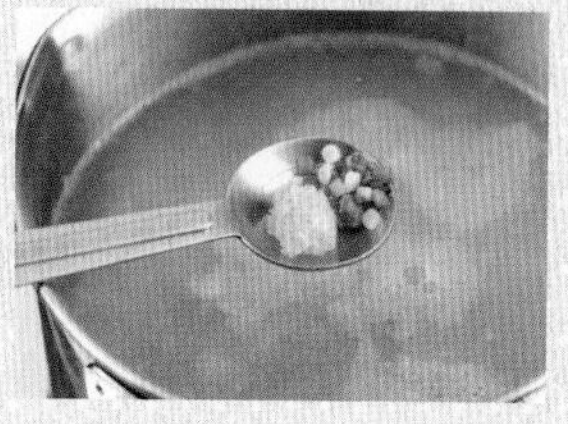

4 ③에 다진 파와 다진 마늘을 넣고 한소끔 끓인 뒤 새우젓으로 간한다.

선짓국·선지들깨무침 빈혈에 좋은 이유식

선지는 철분과 비타민, 단백질이 풍부해서 임산부가 먹어도 좋은 음식이에요. 빈혈을 하면 떠오르는 음식이 쇠고기와 달걀노른자인데, 이제는 선지도 추가해주세요. 만드는 방법도 간단하고 맛도 좋아서 아기들이 정말 잘 먹는답니다. 남은 선지는 콩나물국, 쇠고기국 등에 넣어드세요.

● 선지는 마트에서 팩으로 포장해 판매하고 있어요.
선지를 구입할 때는 꼭 날짜를 확인하고 가장 신선한 것으로 구입하세요. 국물로 곰탕을 사용할 경우 그대로 사용하면 너무 진하기 때문에 물에 희석하세요.

선짓국

재 료

- ☐ 선지 200g(6큰술)
- ☐ 우거지 60g(5큰술)
- ☐ 쇠고기(양지머리) 50g (3과 1/3큰술)
- ☐ 느타리버섯 10g(2큰술)
- ☐ 다진 파 1/2큰술
- ☐ 된장·다진 마늘 1/2작은술씩
- ☐ 참기름·국간장 1작은술씩
- ☐ 곰탕 1과 3/4컵
- ☐ 물 3/4컵

* 곰탕 대신 쇠고기 육수를 사용할 경우 2와 1/2컵을 넣는다.

1 선지는 끓는 물에 넣어서 속까지 익힌 다음 건진다.

2 우거지는 잠길 정도로 물을 부어 끓인다. 푹 익으면 체에 밭쳐 찬물에 씻는다. 쇠고기는 0.5㎝ 크기로 썬다.

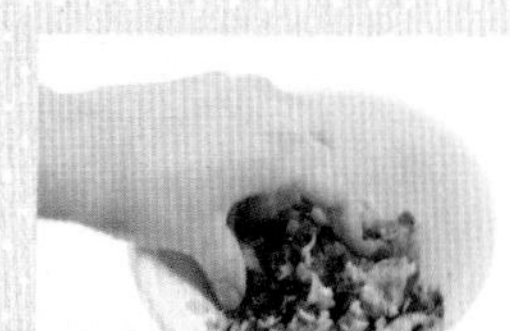

3 삶은 우거지와 느타리버섯은 0.5㎝ 크기로 잘게 다지고 다진 파, 된장, 다진 마늘, 참기름, 국간장을 넣어 무친다.

4 분량의 곰탕과 물, 쇠고기를 냄비에 넣고 끓인 다음 우거지 무침을 넣고 센 불에서 끓이다가 끓어오르면 선지를 넣고 한소끔 끓인다.

선지들깨무침

재 료

- ☐ 선지 200g
- ☐ 다진 파 1/2큰술
- ☐ 들깨 가루 2/3큰술
- ☐ 김 가루 약간

1 끓는 물에 선지와 다진 파를 넣어 끓인다.

2 선지가 속까지 익을 때까지 푹 끓인다.

3 선지가 익으면 파와 함께 건진다.

4 선지에 들깨 가루, 김 가루를 넣고 선지를 으깨면서 버무린다.

만둣국

"한입에 쏙 들어가는 미니 사이즈로 만두를 빚어서 만둣국을 끓여주세요. 고기와 채소를 듬뿍 넣어 영양은 물론 먹는 재미도 쏠쏠하답니다. 하지만 손이 많이 가는 이유식이기 때문에 정성이 많이 들어요. 한번 만들 때 많이 만들어 찜통에 찐 다음 냉동 보관해두시면 두고두고 간식으로 먹이기 좋답니다."

재 료

- ☐ 육수 1과 1/2컵

만두피
- ☐ 밀가루 120g(1컵)
- ☐ 미지근한 물 1/2컵

만두 소
- ☐ 다진 쇠고기 + 다진 돼지고기 100g(6과 2/3큰술)
- ☐ 배춧잎 15g(1큰술)
- ☐ 백일송이버섯 15g (2와 1/2큰술)
- ☐ 가지 10g(1과 2/3큰술)
- ☐ 멸치 가루 1작은술
- ☐ 양파 즙·다진 파·참기름 약간씩

1 밀가루에 분량의 물을 넣고 오래 반죽한다. 반죽을 하나로 뭉쳐 실온에서 30분 정도 휴지시킨다.

2 배춧잎과 백일송이버섯, 가지는 아주 잘게 다진다.

3 다진 쇠고기와 다진 돼지고기에 양파 즙과 참기름을 넣어 버무린 후 다진 파와 나머지 채소, 버섯을 넣고 고루 섞는다.

4 ③에 멸치 가루를 넣고 반죽해 만두 소를 완성한다.

5 ①의 반죽을 얇게 밀어서 아기가 먹을 수 있는 작은 크기의 만두피를 만든다.

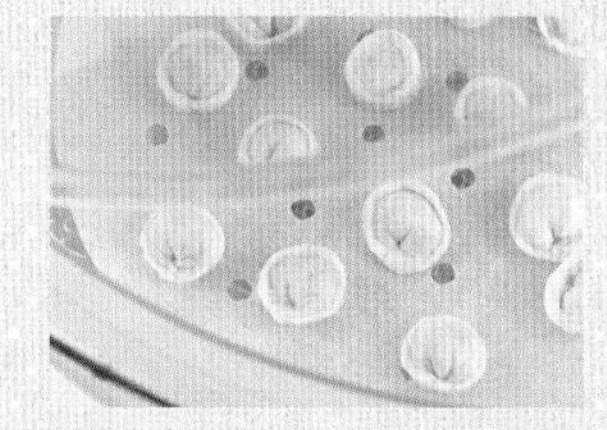

6 만두피에 만두 소를 넣고 조그맣게 빚은 다음 김 오른 찜통이나 찜기에 찐다. 육수에 만두를 넣고 끓이다가 다진 파로 마무리한다.

● 유기농 우리밀 밀가루를 사용하세요.
밀가루를 살 때는 원산지를 확인하세요. 만두피를 반죽 할 때 윤기가 돌면서 매끈해지면 쿠킹랩이나 젖은 행주를 그릇 위에 덮어서 휴지시키면 됩니다.

● 멸치 가루는 직접 만드세요.
마른 멸치를 전자레인지에 돌리거나 마른 팬에 바삭하게 구워서 믹서에 갈아 멸치 가루를 만드세요. 소금 대신 멸치 가루로 간할 수 있습니다.

피 없는 찐만두

" 피 없는 찐만두는 '굴림 만두'라고도 합니다. **만두피 빚는 게 귀찮을 때 아주 간단하게 만들 수 있는 만두랍니다.** 물만두처럼 만두피도 얇아 식감이 좋아요. 하지만 만두끼리 서로 잘 붙어서 피가 다 벗겨질 수 있으니 물이나 육수를 뿌리거나 참기름을 살짝 발라주세요. "

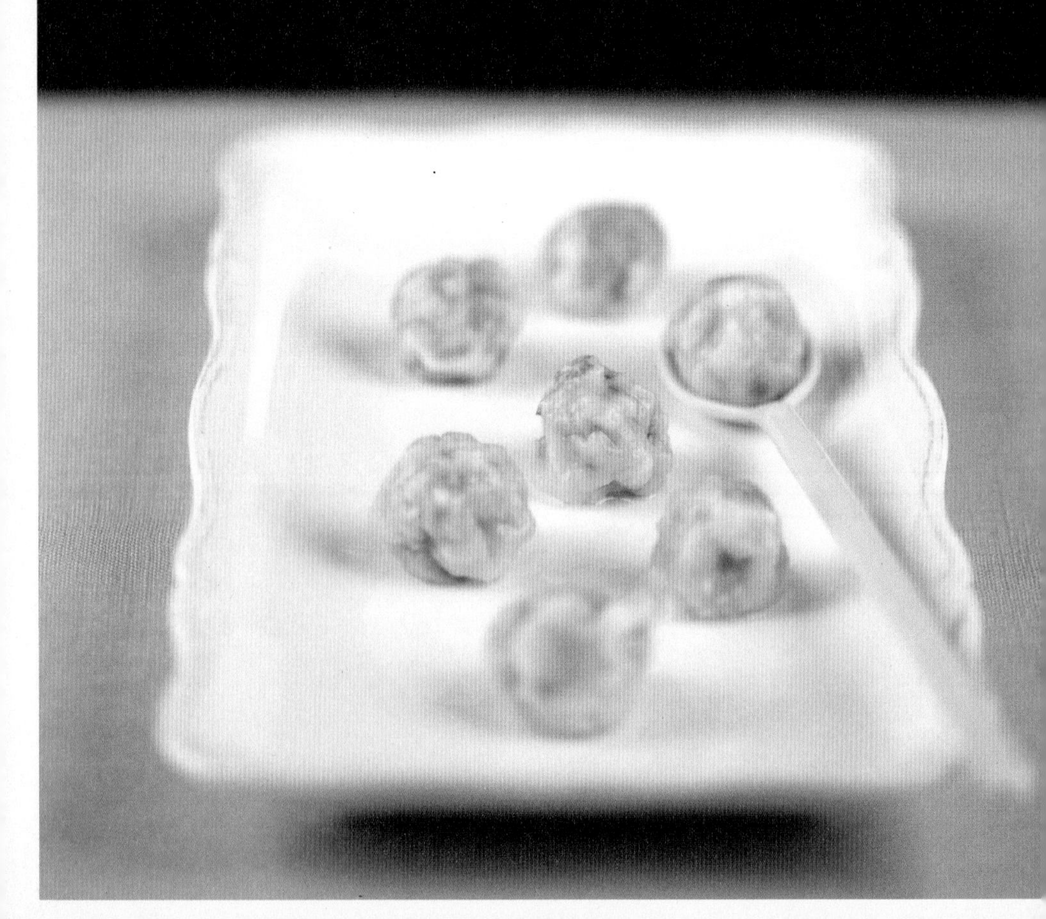

재 료

- 다진 쇠고기 50g (3과 2/3큰술)
- 두부 50g(3과 2/3큰술)
- 양파 10g(1큰술)
- 부추 10g(3큰술)
- 밀가루 1/2컵
- 참기름 약간

1 두부는 베보자기에 싸서 물기를 꼭 짜면서 으깬다.

2 양파와 부추는 다진다.

3 다진 쇠고기에 두부, 양파, 부추, 참기름을 넣고 만두 소를 만든다.

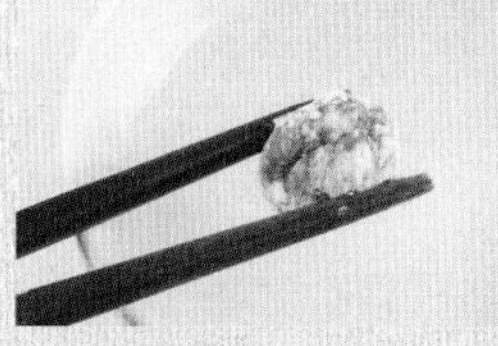

4 만두 소를 1㎝ 정도 크기로 동그랗게 빚은 후 밀가루를 묻히고 물에 한 번 담갔다가 건진다.

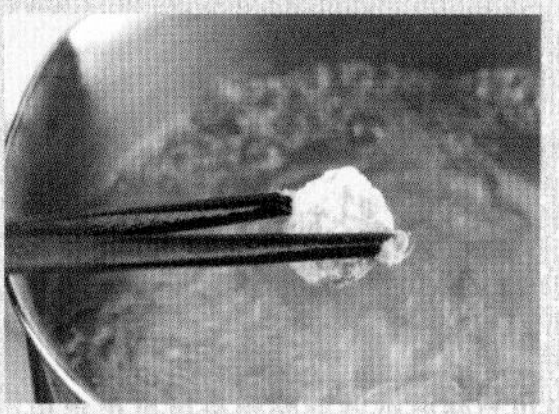

5 ④에 밀가루를 다시 묻힌 다음 끓는 물에 넣는다.

6 만두 소가 떠오르면 다 익은 상태이므로 건진다.

● 만두 소는 20분 이상 치대야 찰기가 생겨요.
만두 소를 20분 이상 치대서 찰기를 생기게 해야 끓는 물에 익힐 때 물에 풀어지지 않아요. 만두는 물이 팔팔 끓어오를 때 넣으세요. 두부는 베보자기에 싸서 물기를 꼭 짜야 만두 소를 만들 때 더 잘 뭉쳐져요.

김치 넣은 돼지콩비지찌개·콩전

"콩비지를 한 봉지 사면 찌개와 반찬을 함께 만들 수 있어요. 콩비지에는 칼슘과 섬유질이 풍부해 성장 발육은 물론 변비에도 좋답니다. 김치에 익숙해지도록 김치를 활용해 이유식을 만들어 보세요. **김치는 깨끗이 씻고 물에 한참 담가두었다가 다지기 전 흐르는 물에 여러 번 씻어서 짠맛과 매운맛을 최대한 빼주세요.**"

김치 넣은 돼지콩비지찌개

콩전

김치 넣은 돼지콩비지찌개

재 료

- ☐ 다진 돼지고기 50g (3과 1/3큰술)
- ☐ 콩비지 150g(3/4컵)
- ☐ 배추김치 10g(1큰술)
- ☐ 백일송이버섯 10g(2큰술)
- ☐ 양파 10g(1큰술)
- ☐ 다진 파 1작은술
- ☐ 다진 마늘 1/3작은술
- ☐ 참기름·소금(새우젓) 약간씩

1 배추김치는 씻은 후 물에 담가 매운맛과 짠맛을 뺀 다음 다진다. 백일송이버섯과 양파는 다진다.

2 다진 돼지고기에 버섯과 양파, 다진 파, 다진 마늘을 넣고 버무린다.

3 뚝배기에 참기름을 두르고 배추김치와 ②의 돼지고기를 넣고 볶는다.

4 고기가 다 익으면 콩비지를 넣고 센 불에서 끓이다가 약한 불로 줄인다. 간이 심심하면 소금(새우젓)으로 간한다.

콩전

재 료

- ☐ 콩비지 150g(3/4컵)
- ☐ 애호박 30g(2큰술)
- ☐ 양파 10g(1큰술)
- ☐ 부추 10g(3큰술)
- ☐ 당근 5g(1/2큰술)
- ☐ 밀가루 3큰술(25g)
- ☐ 소금·포도씨유 약간씩

1 애호박과 양파, 부추, 당근은 잘게 다진다.

2 콩비지에 밀가루를 넣어 뭉치지 않게 푼다.

3 ②의 콩비지에 채소와 소금을 넣고 섞는다.

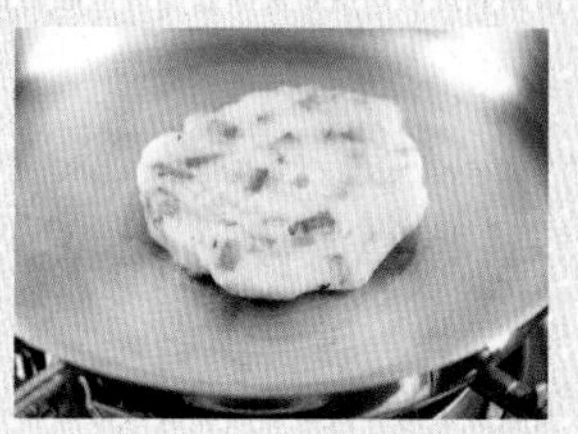

4 달군 팬에 포도씨유를 두르고 중간 불로 줄인 후 앞뒤로 노릇하게 지진다.

명란젓달걀찜·시금치깨두부무침

명란젓달걀찜과 시금치깨두부무침은 빈혈에 좋은 고단백 이유식이에요.
아기용 명란젓달걀찜은 명란젓을 소량만 넣으세요. 어른용으로 만들 때는 달걀 2개에 명란젓 1쪽을 넣으면 됩니다. 명란젓은 발색제와 착색료 등 인공 식품첨가물이 들어 있지 않은 무첨가 명란젓으로 온·오프라인의 친환경 숍에서 구입할 수 있어요.

명란젓 달걀찜

재 료

- ☐ 명란젓 15g(1큰술)
- ☐ 달걀 2개
- ☐ 물 1과 1/4컵

1 명란젓은 물에 씻어 양념을 제거하고 껍질을 제거하고 속의 알만 꺼낸다.

2 뚝배기에 달걀, 명란젓, 분량의 물을 넣고 잘 섞는다.

3 뚜껑을 덮어 중간 불에서 끓이다가 살짝 끓어오르면 숟가락으로 바닥까지 긁어 뒤섞은 후 약한 불로 줄이고 뚜껑을 다시 덮어 2~3분간 끓인다.

4 불을 끄고 잠시 뜸을 들인 후 뚜껑을 연다.

시금치깨두부무침

재 료

- ☐ 시금치 50g(5와 2/3큰술)
- ☐ 두부 50g(3과 1/3큰술)
- ☐ 깨소금 · 참기름 · 소금 약간씩

1 시금치는 뿌리를 잘라내고 한 잎씩 떼어서 흐르는 물에 씻는다.

2 시금치는 끓는 물에 살짝 데친 다음 찬물에 헹궈 물기를 꼭 짜고 3~4㎝ 길이로 자른다.

3 두부는 끓는 물에 살짝 데쳐서 물기를 꼭 짠 다음 으깬다.

4 볼에 시금치와 두부, 깨소금, 참기름, 소금을 넣고 무친다.

버섯무침·콩나물무침

" 편식하지 않는 아이로 키우고 싶다면 버섯과 나물 반찬도 자주 만들어주세요. 나물 무침은 재료 본연의 맛을 살리는 조리법으로 아기의 미각을 발달시키는데 도움이 됩니다. 나물 무침은 아기가 먹기 좋게 잘라서 먹이거나 짧게 잘라서 무쳐도 됩니다. 버섯은 백만송이버섯, 팽이버섯, 애느타리버섯 등 다양한 버섯으로 응용해주세요. "

버섯무침

콩나물무침

버섯무침

재 료

- 백일송이버섯 15g(3큰술)
- 당근 5g(1작은술)
- 브로콜리 5g(1/2큰술)
- 참깨·참기름·소금 약간씩

1 백일송이버섯은 결대로 찢어서 1~2㎝ 크기로 자른다.

2 끓는 물에 백일송이버섯을 넣어 데친다.

3 당근과 브로콜리는 버섯과 비슷한 크기로 썬 후 끓는 물에 삶는다.

4 볼에 버섯과 채소를 넣고 참깨, 참기름, 소금을 조금 넣어 버무린다.

콩나물무침

재 료

- 콩나물 70g(6큰술)
- 참기름·포도씨유·소금·깨소금 약간씩
- 다시마 물 1/4컵

* 콩나물 대신 무를 사용하면 무나물을 만들 수 있다.

1 콩나물은 머리와 꼬리를 떼고 0.5㎝ 길이로 자른다.

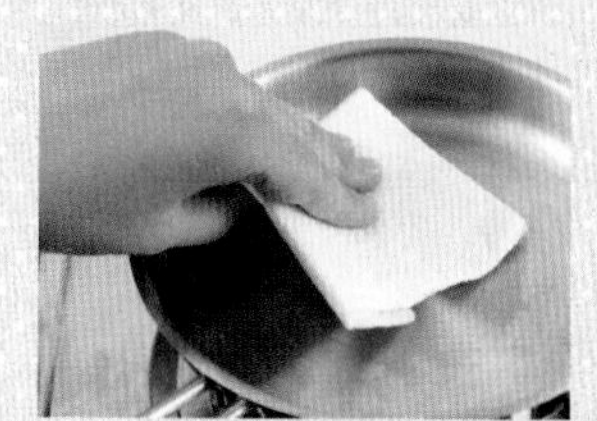

2 팬에 참기름과 포도씨유를 1:1 비율로 넣고 기름이 달궈지면 키친타월로 살짝 닦는다.

3 팬에 콩나물을 볶다가 숨이 죽으면 다시마 물을 부어 끓인다.

4 간이 심심하면 소금으로 간하고 깨소금을 뿌려 마무리한다.

파래전·굴전

"파래에는 칼슘, 칼륨 등의 무기질이 많이 들어 있어요. 파래를 고를 때는 색이 검고 윤기가 나며 특유의 향이 진한 것으로 고르세요. 물에 담가 짠맛을 제거한 후 전을 만들면 아기들이 잘 먹는답니다. 굴과 파래를 섞어서 전을 만들어도 좋아요. 파래는 무침, 볶음, 볶음밥 등으로 응용하세요."

파래전

재 료

- ☐ 파래 100g(10큰술)
- ☐ 밀가루 1/2컵(100g)
- ☐ 물 1/2컵
- ☐ 포도씨유 약간

1 파래는 물에 여러 번 씻는다. 짠맛이 싫으면 물에 담가 짠맛을 뺀다.

2 깨끗이 씻은 파래는 잘게 다진다.

3 파래에 밀가루와 물을 넣고 반죽한다.

4 달군 팬에 포도씨유를 약간 두르고 반죽을 얹어 앞뒤로 노릇노릇 굽는다.

굴전

재 료

- ☐ 굴 100g(15개)
- ☐ 달걀 1개
- ☐ 다진 쪽파 1큰술
- ☐ 포도씨유 약간

1 굴은 물에 흔들어 씻는다.

2 씻은 굴은 적당한 크기로 자른다.

3 달걀을 곱게 풀고 굴과 다진 쪽파를 넣어 섞는다.

4 달군 팬에 포도씨유를 약간 두르고 반죽을 얹어 앞뒤로 노릇노릇 굽는다.

대구전·맵지 않은 김치오징어전

"김치를 잘 먹는 아기를 보면 부럽기도 하고 한편으로는 아직은 맵고 짠 음식은 먹이고 싶지 않다는 생각이 들기도 했어요. 맵지 않은 김치오징어전은 자극적이지 않으면서 상큼한 맛이 돌아 맛있는 반찬이 됩니다. 대구전은 밥 한 그릇 뚝딱 해치우는 보증수표 반찬이에요. 넉넉하게 만들어 냉동실에 보관했다가 급할 때 꺼내서 데워 먹이면 편하답니다."

대구전

맵지 않은 김치오징어전

대구전

재 료

- 냉동 대구 포 30g
- 달걀 1개
- 밀가루 2큰술
- 포도씨유 약간

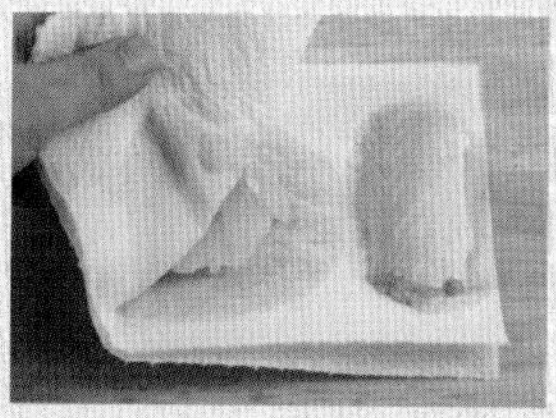

1 냉동 대구 포는 해동시킨 다음 키친타월 위에 올려 물기를 뺀다.

2 대구 포는 적당한 크기로 자르고 달걀은 곱게 푼다.

3 대구 포에 밀가루와 달걀물 순으로 옷을 입힌다.

4 달군 팬에 포도씨유를 약간 두르고 반죽을 얹어 앞뒤로 노릇노릇 굽는다.

맵지 않은 김치오징어전

재 료

- 배추김치 10g(1큰술)
- 오징어 30g(2큰술)
- 밀가루 2큰술
- 달걀 1개
- 포도씨유 약간

1 배추김치는 씻은 후 물에 담가 매운맛과 짠맛을 뺀 다음 다진다.

2 오징어는 껍질을 벗겨서 잘게 다진다.

3 오징어와 김치, 밀가루, 달걀을 잘 섞는다.

4 달군 팬에 포도씨유를 약간 두르고 반죽을 얹어 앞뒤로 노릇노릇 굽는다.

돼지고기전

66 돈전은 '동그랑땡'이라고도 해요. 한꺼번에 많이 만들어 익히지 않은 채로 냉동실에 넣었다가 먹기 직전에 밀가루와 달걀물을 입혀서 약한 불에 노릇하게 구워도 돼요. **돼지고기와 쇠고기를 섞으면 더 맛있는 돈전이 된답니다.** 99

재 료

- 다진 돼지고기·다진 쇠고기 30g씩(2큰술씩)
- 두부 30g(2큰술)
- 당근 5g(1작은술)
- 양파 5g(1작은술)
- 달걀 1개
- 다진 파 1작은술
- 밀가루·참기름·소금·포도씨유 약간씩

1 두부는 끓는 물에 데쳐 칼 등으로 으깬다.

2 당근과 양파는 1㎝ 크기로 잘게 다지고 달걀은 곱게 푼다.

3 다진 돼지고기와 다진 쇠고기에 두부, 당근, 양파, 다진 파, 참기름, 소금을 넣고 잘 버무린다. 5~10분 정도 치대야 찰진 반죽이 된다.

4 반죽을 동그랗게 빚은 다음 밀가루와 달걀물 순으로 옷을 입히고 포도씨유를 두른 달군 팬에 올려 중간 불로 노릇하게 굽는다.

● **반죽은 많이 치대세요.**

반죽은 많이 치대야 잘 뭉쳐지고 식감이 좋으며 팬에 구웠을 때도 갈라지지 않아요. 팬에 구울 때는 팬을 달군 다음 기름을 조금 넣고 기름이 다 달궈진 후 중간 불에서 구우세요. 그래야 속까지 맛있게 잘 익어요.

두부조림

" 두부는 만드는 과정과 가열 시간, 굳히는 방법에 따라 여러 종류의 두부가 만들어져요. 비지는 두부를 만들고 남은 찌꺼기이고, 순두부는 두부를 만들기 직전 단백질이 응고된 상태를 말해요. 연두부는 콩물에 응고제를 넣고 가열해서 만든 것이고, 콩물에 응고제를 넣어 단백질을 굳힌 후 물기를 빼 덩어리로 만든 것이 두부랍니다. "

재 료

- ▢ 두부 50g
- ▢ 다진 양파 1/2큰술
- ▢ 물 1큰술
- ▢ 간장 1/4작은술
- ▢ 아가베시럽 1/3작은술
- ▢ 포도씨유 약간

1 두부는 납작하게 자른다.

2 분량의 물에 다진 양파, 간장, 아가베시럽을 섞어 양념장을 만든다.

3 달군 팬에 포도씨유를 두른 후 두부를 얹어 앞뒤로 노릇하게 굽는다.

4 두부에 양념장을 부어 중간 불에서 조리다가 끓으면 약한 불로 줄여 조린다.

● 두부조림을 할 때는 냄비나 팬의 크기가 중요해요.
크기가 작은 팬에 양념장을 넣고 조리면 두부가 부스러지기 쉽고, 너무 넓은 팬에 조리면 양념이 다 타버려요. 두부를 다 넣었을 때 팬에 여유 있게 가득 찬 정도가 적당합니다.

● 두부는 3일 정도 냉장 보관 가능해요.
두부는 밀폐용기에 담아 정수된 물을 넣고 소금을 뿌린 후 뚜껑을 덮어 냉장고에 넣으면 3일 정도 보관 가능해요. 두부는 쉽게 상하기 때문에 하루에 한 번은 물을 갈아주세요.

● 두부 한 모로 3가지 반찬을 만드세요.
1/3은 두부조림, 1/3은 달걀두부부침, 나머지 1/3은 국에 넣으세요.

감자애호박밥새우반찬·감자볶음

" 이유식을 시작하면 감자, 양파, 애호박은 늘 냉장고에 있게 마련입니다. 감자애호박밥새우반찬은 냉장고 속 자투리 채소로 쉽게 만들 수 있어요. 게다가 밥에 비벼 먹이면 밥 한 그릇은 뚝딱이랍니다. **새우의 씹히는 질감을 느끼게 해주고 싶다면 밥새우를 칼로 다져 넣으세요.** 감자볶음을 만들 때 컬러풀한 채소를 넣어 조리하면 영양도 더 풍부해지고 아기의 시각발달에도 좋답니다. "

감자애호박밥새우반찬

재 료

- ☐ 감자 15g(1과 1/2큰술)
- ☐ 양파 15g(1과 1/2큰술)
- ☐ 애호박 20g(1과 1/3큰술)
- ☐ 밥새우 1큰술
- ☐ 들깨 가루 약간
- ☐ 물 1컵

1 감자와 양파, 애호박은 깍둑썰기 한다.

2 냄비에 감자, 양파, 애호박을 넣고 분량의 물을 부어 삶는다.

3 밥새우는 칼로 곱게 다지거나 믹서에 간다.

4 팬에 삶은 채소와 밥새우를 볶다가 채소 삶은 물 2~3큰술 정도 넣고 밥새우가 눅눅해지면 들깨 가루를 넣어 약한 불에서 볶는다.

감자볶음

재 료

- ☐ 감자 1개
- ☐ 파프리카 1/8개 (당근으로 대체 가능)
- ☐ 양파 15g(1과 1/2큰술)
- ☐ 포도씨유·소금 약간씩

1 감자는 곱게 채 썬 후 끓는 물에 살캉하게 삶고 물기를 뺀다.

2 팬에 포도씨유를 조금 두르고 감자를 볶는다.

3 ②에 파프리카와 양파를 채 썰어 넣고 볶는다.

4 마지막에 소금을 약간 넣어 간한다.

쇠고기장조림

"매 끼마다 새로운 반찬을 만들어 먹이기는 힘들어요. 한 번 만들어 두면 요긴하게 활용할 수 있는 장조림을 준비하세요. **장조림은 짜지 않게 만드는 것이 포인트랍니다.** 간이 약하기 때문에 쉽게 상할 수 있으므로 유리로 된 밀폐용기에 나누어 담아서 보관하세요. 유리병에 담을 경우 뜨거운 물로 소독한 다음 뜨거운 장조림을 넣고 뚜껑을 닫아 거꾸로 뒤집어두세요. 공기가 빠져나가 진공 포장이 된답니다."

재 료

- 쇠고기 70g
- 메추리알 14개
- 양파 30g(3큰술)
- 표고버섯 10g(2큰술)
- 다진 마늘 1/2작은술
- 간장·아가베시럽 1큰술씩
- 물 1과 1/2컵

1 쇠고기는 찬물에 담가 핏물을 뺀다. 분량의 물을 끓이다가 쇠고기를 넣고 삶는다. 고기가 익으면 건져내 8등분한다.

2 메추리알은 삶은 후 껍질을 벗긴다.

3 양파는 1㎝ 크기로 깍둑 썰고, 표고버섯은 0.5㎝ 정도로 다진다.

4 고기 삶은 물에 쇠고기, 메추리알, 양파, 표고버섯, 다진 마늘, 간장, 아가베시럽을 넣고 센불에서 끓이다가 약한 불로 줄여서 뭉근하게 끓인다. 국물이 반 정도로 줄면 불을 끈다.

● 메추리알은 팔팔 끓는 물에 넣어 삶으세요.

메추리알을 예쁘게 삶으려면 팔팔 끓는 물에 넣고 중간 불에서 6분 정도 삶으면 돼요. 냄비에 메추리알을 넣은 직후 몇 번 앞뒤로 흔들면 노른자가 예쁘게 자리 잡아 잘랐을 때 단면이 예쁘게 나온답니다. 삶은 메추리알은 찬물에 헹구고 껍질을 으깬 다음 벗기세요.

닭고기카레볶음·쇠고기간장볶음

“후다닥 만들어 냉장고 속에 넣어두면 언제든 밥에 비벼 먹이기 좋은 반찬 2가지예요. 간장은 기호에 맞게 넣고, 아가베시럽이 없다면 쌀조청이나 꿀을 넣어서 만들어주세요. 가급적 설탕은 사용하지 마시고, 사용한다면 유기농 비정제 설탕을 사용하세요. 이 반찬들은 냉장고에서 3~4일 정도 보관 가능합니다. 하지만 되도록 빨리 먹여주세요.”

닭고기카레볶음

재 료

- ▢ 닭 안심 50g(3과 1/3큰술)
- ▢ 오이 40g(2와 1/3큰술)
- ▢ 양파 15g(1과 1/2큰술)
- ▢ 카레 가루 1/2작은술
- ▢ 아가베시럽 1/2작은술
- ▢ 포도씨유 약간

1 닭 안심은 힘줄을 제거하고 잘게 다진다.

2 오이와 양파는 다진다.

3 달군 팬에 포도씨유를 약간 두르고 오이와 양파를 를 볶다가 숨이 죽으면 닭 안심을 넣고 볶는다.

4 닭 안심이 어느 정도 익으면 카레 가루와 아가베시럽을 넣고 한 번 더 볶는다.

쇠고기간장볶음

재 료

- ▢ 쇠고기 3과 1/3큰술
- ▢ 양파 10g(1큰술)
- ▢ 양배추 잎 5g(1/2큰술)
- ▢ 백일송이버섯 5g(1/2큰술)
- ▢ 간장·참기름·깨·포도씨유 약간씩

1 쇠고기는 다진 다음 간장과 참기름을 조금 넣어 밑간한다.

2 양파, 백일송이버섯, 양배추 잎은 다진다.

3 달군 팬에 포도씨유를 약간 두르고 쇠고기를 볶다가 양파, 백일송이버섯, 양배추를 넣고 중간 불에서 볶는다.

4 마지막에 깨소금과 참기름를 조금 뿌린다.

쇠고기토마토볶음
카레토마토소스볶음

❝ 토마토는 만병통치약에 가까울 정도로 몸에 좋은 채소예요. 생 토마토를 먹는 것보다 익힌 토마토를 먹는 것이 몸에 더 좋습니다. 기름에 볶으면 지용성 비타민의 흡수율이 좋아진답니다. 이 두 가지 반찬은 밥에 비벼 먹어도 좋지만, 토마토에 올리브 잎을 넣고 조린 다음 파스타 면이나 소면을 삶아 파스타로 만들면 맛있는 한 끼 이유식이 됩니다. ❞

쇠고기 토마토볶음

● 토마토 껍질을 쉽게 벗길 수 있어요.

토마토 껍질을 쉽게 벗기려면 토마토에 +자로 칼집을 넣고 뜨거운 물에 잠시 넣었다가 벗기세요. 물 끓이는 것이 번거로울 때는 토마토 꼭지 부분을 포크로 찔러 돌려가며 직화로 잠시 구우면 됩니다.

카레토마토소스볶음

쇠고기 토마토볶음

재 료

- ☐ 쇠고기 50g(3과 1/3큰술)
- ☐ 양파 20g(2큰술)
- ☐ 브로콜리 10g(1큰술)
- ☐ 토마토 1/2개
- ☐ 다진 마늘 1/2작은술
- ☐ 아가베시럽·소금·포도씨유 약간씩

1 쇠고기와 양파, 브로콜리는 다진다.

2 토마토는 +로 칼집을 낸 후 끓는 물에 잠시 담갔다가 껍질을 벗긴 다음 다진다.

3 팬에 포도씨유를 조금 두르고 다진 마늘을 볶다가 양파를 볶는다. 양파가 반쯤 투명해지면 쇠고기, 브로콜리, 토마토를 넣고 중간 불에서 볶는다.

4 소금과 아가베시럽으로 간한다. 마지막에 센 불에서 한 번 더 볶아 토마토에서 나온 수분을 날린다.

카레토마토소스볶음

재 료

- ☐ 돼지고기 50g(3과 1/3큰술)
- ☐ 양파 40g(4큰술)
- ☐ 당근 30g(3큰술)
- ☐ 사과 1/6쪽
- ☐ 토마토 1/2개
- ☐ 카레 가루 1작은술
- ☐ 육수(물)·소금·포도씨유 약간씩

1 돼지고기와 양파는 다지고 당근, 사과는 강판에 간다.

2 토마토는 +로 칼집을 낸 후 끓는 물에 잠시 담갔다가 껍질을 벗긴 다음 다진다.

3 팬에 포도씨유를 두르고 양파를 볶다가 양파가 투명해지면 돼지고기, 당근, 사과, 카레 가루를 넣고 중불에서 볶는다.

4 ③에 토마토를 넣고 볶다가 조금 걸쭉하면 육수를 넣어 가며 농도를 조절하고 소금으로 간한다.

순두부볶음

“ 순두부는 두부를 만들기 직전 단백질이 응고된 상태를 말하는데, 전문 식당이 아니면 요즘은 순두부 구하기가 쉽지 않아요. 그래서 쉽게 구할 수 있는 연두부로 순두부를 대신 하기도 합니다. **순두부 볶음은 이유식뿐만 아니라 환자들의 유동식으로도 좋아요.** ”

재 료

- 순두부 170g(8과 1/2큰술)
- 양파 50g(5큰술)
- 달걀 1개
- 깨소금 1작은술
- 다시마 물 1/2컵

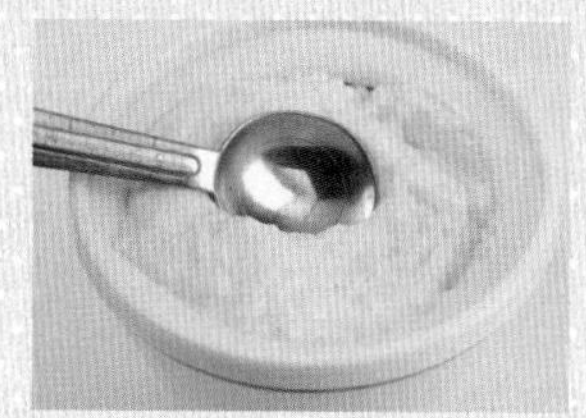

1 순두부는 체에 내린다.

2 양파는 다지고 달걀은 곱게 푼다.

3 냄비에 다시마 물을 넣고 양파, 달걀물, 순두부, 깨소금을 넣는다.

4 재료들을 섞어가면서 중간 불에서 볶는다.

● **순두부는 체에 한번 내리세요.**
순두부는 체에 내려야 부드러운 질감의 볶음이 만들어져요. 순두부 볶음 속에 당근, 버섯 등 여러 가지 채소를 더해서 만들면 더 맛있어요.

파프리카밥비빔이
멸치호두조림

“ 파프리카는 색도 예쁘고 맛도 좋고 씹는 식감도 좋은 재료예요. 색깔 별로 효능이 다른데 빨강 파프리카는 성장 촉진과 면역력 증가에 좋고, 주황과 노랑 파프리카는 감기 예방과 스트레스 해소, 피부미용에 좋아요. 초록색 파프리카는 철분이 풍부해서 빈혈 예방에 좋답니다. 파프리카로 밥비빔이를 만들면 칼슘과 비타민 덩어리 이유식이 됩니다. 멸치호두조림도 머리가 좋아지고 뼈를 튼튼하게 해주는 반찬이랍니다. ”

파프리카밥비빔이

재 료

- ☐ 잔멸치 10g(3큰술)
- ☐ 밥새우 5g(2큰술)
- ☐ 파프리카 10g(1과 1/3큰술)
- ☐ 포도씨유 약간

1 잔멸치와 밥새우는 기름을 두르지 않은 팬에 볶은 후 믹서에 갈아 가루로 만든다.

2 파프리카는 다진다.

3 포도씨유를 조금 두른 팬에 파프리카를 볶는다.

4 파프리카의 숨이 죽으면 갈아 놓은 잔멸치와 밥새우를 넣고 물기가 없어질 때까지 볶는다.

멸치호두조림

재 료

- ☐ 잔멸치 30g(9큰술)
- ☐ 호두 살 15g(2와 1/2큰술)
- ☐ 아가베시럽 1/2작은술
- ☐ 참기름 약간

1 기름기 없는 팬에 잔멸치를 볶아 바삭해지면 절구로 한 번 으깬다.

2 호두 살은 칼로 다진다.

3 팬에 참기름을 조금 두르고 잔멸치와 호두를 볶는다.

4 불을 끄고 아가베시럽을 넣고 남은 열로 섞으면서 볶는다.

전복송이조림 (보양 이유식)

"간단하게 만들면서도 아기의 기력을 보충할 수 있는 영양만점의 반찬을 주고 싶다면 전복송이조림을 만들어 주세요. 전복은 살아있는 활전복으로 구입하세요. 전복 내장을 어떻게 할지 고민스럽다면 전복 내장밥을 지어보세요. 전복 내장을 물과 함께 믹서에 간 다음 밥물에 같이 넣어 밥을 지으면 된답니다. 여기에 참기름을 살짝 더해 비벼먹으면 그 향과 맛이 일품이지요."

재 료

- 전복 60g(2마리)
- 백만송이버섯 30g(6큰술)
- 간장·아가베시럽 약간씩
- 물 1/4컵

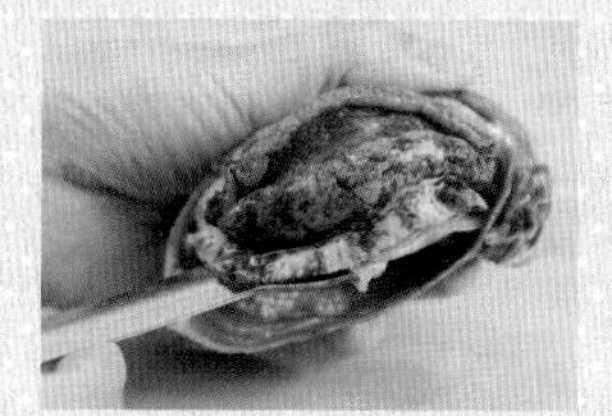

1 전복은 숟가락으로 살을 떼어낸 후 내장과 입을 제거하고 작게 잘라 믹서에 간다.

2 백만송이버섯은 잘게 다진다.

3 팬에 전복과 백만송이버섯, 분량의 물을 넣고 볶는다.

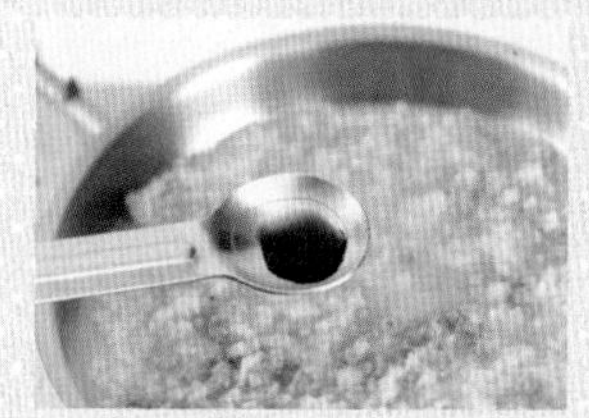

4 ③에 간장과 아가베시럽을 넣고 조린다.

● 전복 내장은 활전복의 내장만 사용하세요.
죽은 전복의 내장은 사용하지 마세요. 전복 내장은 무기질이 풍부해 성장기 아이들에게도 좋답니다. 전복은 내장으로 암수를 구분하는데 초록색이면 암컷, 노란색이면 수컷이에요. 암컷은 수컷에 비해 육질이 연한 편이라 죽, 구이, 찜 등의 익히는 요리에 적당하고 수컷은 회로 먹는 게 맛있어요.

과일 양념 돼지고기 특히 잘 먹는 이유식

"입 안에서 살살 녹는 돼지갈비를 떠올리며 만든 이유식이 바로 과일 양념 돼지고기예요. 과일 양념한 돼지 안심을 냉장고에 넣어 2시간 정도 재운 다음 구워 주세요. 과일로 양념한 돼지고기는 육질이 부드러워져서 어금니가 아직 나지 않은 아기들도 잇몸으로 씹어 먹을 수 있답니다. 과일 양념 돼지고기를 만들 때 과일 즙은 꼭 체에 걸러서 사용하세요. 그래야 고기를 구울 때 타지 않는답니다."

재 료

- ☐ 돼지고기(안심) 100g
- ☐ 키위 1개
- ☐ 사과 20g(2와 2/3큰술)
- ☐ 양파 30g(2큰술)
- ☐ 간장 2큰술
- ☐ 아가베시럽 1작은술
- ☐ 다진 마늘·참기름 1/2작은술씩

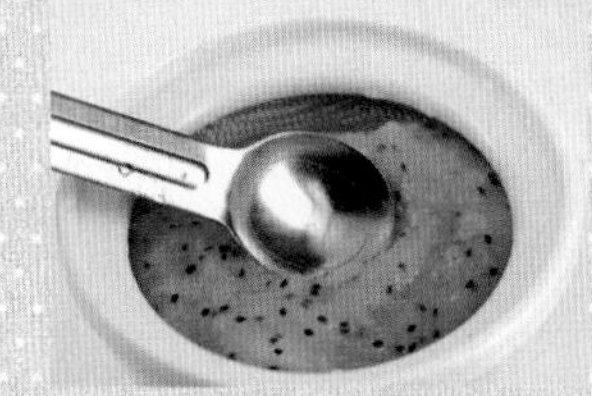

1 키위, 사과, 양파는 강판에 간 다음 체에 내린다.

2 ①의 즙에 간장, 아가베시럽, 다진 마늘, 참기름을 넣어서 소스를 만든다.

3 돼지고기는 1㎝ 두께로 썬 다음 고기 다지기로 두들겨 부드럽게 한다.

4 ②의 소스에 돼지고기를 넣고 1시간 이상 재운 다음 팬에 올려 타지 않게 굽는다.

● **돼지고기를 자르고 두들길 때 도마에 종이호일을 깔면 좋아요.**
돼지고기를 자르고 두들길 때 도마에 종이호일을 깔면 위생적이에요. 고기 두들길 때 도마가 푹 찍힐 수 있으니 못 쓰는 도마를 사용하는 게 좋습니다. 고기 두들길 때 사용하는 도구는 '고기 망치'라고 하는데, 고기를 다지거나 연하게 할 때, 돈가스를 집에서 만들 때 아주 유용해요. 양념한 고기를 팬에 구울 때는 종이호일을 깔면 잘 타지도 않고 팬을 씻을 필요도 없어서 편하답니다.

마늘종돼지고기볶음

" 마늘이 몸에 좋기는 하지만 아기에게 그냥 먹이기는 쉽지 않죠. 마늘의 꽃줄기인 마늘종 속에는 마늘의 효능이 그대로 들어있어요. **칼슘과 인, 비타민이 많이 들어있고 변비에도 좋은 재료랍니다.** 부드럽게 조리해서 반찬으로 만들면 아기들도 잘 먹을 수 있어요. "

재 료

- ▢ 돼지고기 50g(3과 1/3큰술)
- ▢ 마늘종 2줄기
- ▢ 황금팽이버섯 10g(2큰술)
- ▢ 양파 즙 1큰술
- ▢ 아가베시럽·간장 1/2작은술씩
- ▢ 포도씨유 약간

1 돼지고기에 양파 즙, 아가베시럽, 간장을 넣고 양념한다.

2 마늘종은 1㎝ 길이로 자른 후 끓는 물에 삶는다.

3 황금팽이버섯도 마늘종과 비슷한 크기로 자른다.

4 포도씨유를 두른 팬에 돼지고기를 볶다가 돼지고기가 익으면 마늘종과 버섯을 넣고 재료가 익을 때까지 볶는다.

● **마늘종은 볶기 전 물에 한 번 삶으세요.**
마늘종을 볶기 전 물에 한 번 삶는 이유는 마늘종 특유의 매운맛을 없애고 볶은 후 색과 모양을 더 예쁘게 하기 위해서랍니다. 마늘종 윗부분은 질기므로 잘라내고 사용하세요. 마늘종을 데칠 때 소금을 조금 넣으면 초록색이 더 선명해집니다. 돼지고기 외에 닭고기, 마른 새우 등을 넣어서 볶아도 좋아요.

닭봉구이·베이비립구이 외출할 때 좋은 이유식

" 닭봉과 부드러운 베이비립은 밥반찬이나 간식으로 좋고 외출할 때 가지고 나가서 먹이기에도 좋아요. 아직 어금니가 나지 않은 아기들도 손으로 잡고 앞니나 송곳니로 잘 먹는답니다. 오븐에서 구울 때는 아래쪽 받침에 물을 조금 부어주세요. 스팀 기능이 되어 속까지 촉촉한 구이가 됩니다. "

닭봉구이

재 료

- ☐ 닭봉 6개
- ☐ 양파 1/2개
- ☐ 우유 적당량
- ☐ 소스(아가베시럽 : 간장= 1 : 1) 약간

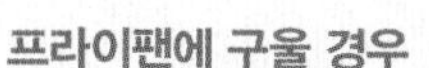

프라이팬에 구울 경우

01 닭봉은 우유에 20분간 담가서 특유의 누린내를 없앤다.

02 물에 닭봉과 파, 양파, 마늘을 넣고 닭봉을 푹 삶은 후 프라이팬에 노릇하게 굽는다.

03 겉면이 노릇해지면 소스를 발라 한 번 더 굽는다.

1 닭봉은 우유에 20분간 담가 특유의 누린내를 없앤다.

2 오븐 팬에 은박·종이호일 순으로 깔고 양파를 놓은 다음 그 위에 닭봉을 올린다.

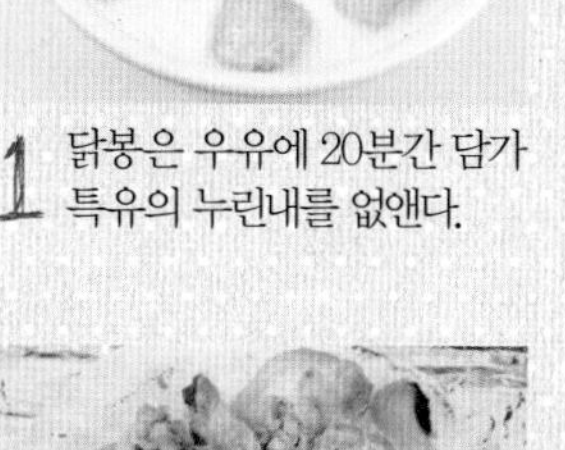

3 닭봉 위에 종이호일을 덮고 그 위에 다시 은박호일을 덮은 뒤 200℃로 예열한 오븐에서 25분간 굽는다.

4 닭봉에 소스를 바른 후 230℃의 오븐에서 5분간 더 굽는다.

베이비립구이

재 료

- ☐ 베이비 립 1줄(9대정도)
- ☐ 양파 1/2개
- ☐ 소금 약간

프라이팬에 구울 경우

01 립은 한 대씩 찬물에 담가 핏물을 뺀다.

02 끓는 물에 마늘 1쪽, 양파, 파 그리고 립을 넣어 부드럽게 삶는다.

03 립은 뼈에서 살이 분리될 정도로 익힌 후 소금을 살짝 뿌려 프라이팬에 노릇하게 굽는다.

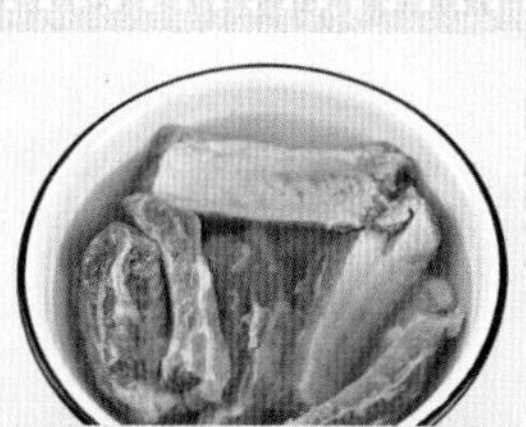

1 립은 뼈를 한 대씩 자르고 찬물에 담가 핏물을 뺀다.

2 립에 소금을 살짝 뿌려 밑간한다. 양파는 채 썬다.

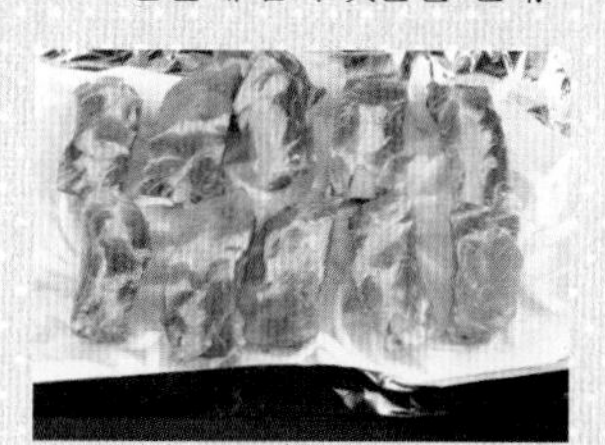

3 오븐 팬에 은박·종이호일 순으로 깔고 양파를 올린 다음 립을 올린다. 다시 종이·은박호일 순으로 덮은 다음 200℃의 오븐에서 25분간 굽는다.

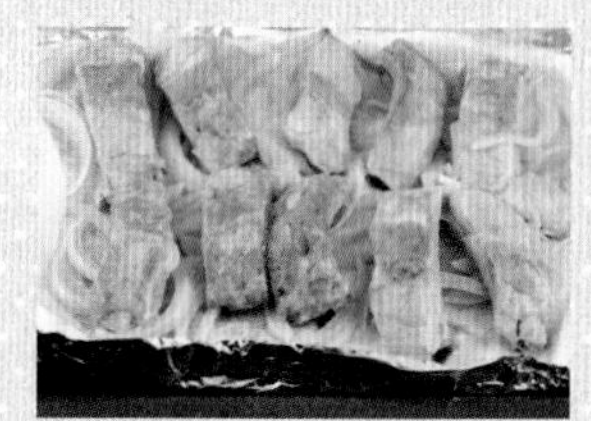

4 호일을 열고 다시 230℃의 오븐에서 5분간 더 구워 색을 낸다.

후리가케

"후리가케는 일본어로 '밥에 뿌려먹는다'는 뜻으로 밥이나 죽에 뿌려 먹을 수 있게 만든 가루예요. 시중에서도 수입품이나 국산품 등을 쉽게 구할 수 있습니다. 하지만 대부분의 후리가케는 너무 짜거나 식품 첨가물이 들어있어요. 후리가케는 집에서도 아주 간단히 만들 수 있고 한꺼번에 만들어서 냉장 보관하면 오래 두고 먹을 수 있으며 기호에 맞게 비율을 달리해서 섞으면 다채로운 맛을 느낄 수 있답니다."

재 료

- ▢ 밥새우(혹은 보리새우) 10g
- ▢ 김 2장
- ▢ 가다랭이 포 10g
- ▢ 참깨(검은깨) 약간

1 밥새우는 기름을 두르지 않은 팬에 볶는다.

2 김은 기름을 두르지 않은 팬에 구워 비닐봉지에 넣고 부순다.

3 가다랭이 포는 기름을 두르지 않은 팬에 굽는다.

4 ①~③의 재료를 각각 믹서나 분쇄기에 간다. 원하는 비율로 섞고 참깨(검은깨)를 약간 넣어 후리가케를 만든다.

● 후리가케는 다양하게 응용할 수 있어요.
기름 없이 바삭하게 구운 멸치를 믹서에 갈면 멸치 후리가케가 됩니다. 밥에 참기름과 간장, 후리가케를 함께 넣어서 비벼주세요. 주먹밥이나 김밥, 유부초밥, 알밥을 만들 때 넣으면 더 맛있어요.

● 채소 가루는 구입하는 것이 편해요.
채소는 집에서 건조시켜 믹서에 갈기가 쉽지 않으니 시판 채소 가루를 구입하면 편해요.

홍합토마토소스소면

홍합은 빈혈을 예방하고 뼈를 튼튼하게 해주는 재료예요. 음식에 넣으면 시원한 맛을 내기도 한답니다. 홍합토마토소스소면은 근사한 일품요리예요. 간을 조금 더해서 어른들이 함께 먹어도 맛있답니다. 소면 대신 가는 파스타 면을 넣어서 만들어도 좋아요. 어른들이 먹는 것보다 면을 조금 더 푹 삶아주세요.

재 료

- ▢ 소면 1/2인분
- ▢ 홍합 10개
- ▢ 토마토 1개
- ▢ 양파 50g(5큰술)
- ▢ 파프리카 15g(2와 1/3큰술)
- ▢ 다진 마늘 1작은술
- ▢ 아가베시럽·포도씨유 약간씩

1 홍합은 수염을 제거하고 토마토는 +자로 칼집을 낸 후 끓는 물에 담갔다가 껍질을 제거한다.

2 양파와 파프리카는 다진다. 팬에 다진 마늘을 볶다가 다진 양파와 파프리카를 넣고 볶는다.

3 양파가 투명해지면 토마토를 넣고 볶는다. 토마토가 졸면 홍합을 넣고 홍합이 입을 벌릴 때까지 볶는다.

4 소면은 반으로 잘라 끓는 물에 삶는다. 끓어오르면 물을 조금씩 부어가며 삶는다. 찬물에 비비듯이 헹궈 밀가루 맛을 없앤다. ③에 소면을 넣고 한 번 더 볶으면서 버무린다.

• 소스는 냉동 보관해 두면 좋아요.

소스를 넉넉히 만들어서 냉동실에 넣어두면 소면, 파스파, 마카로니 등에 다양하게 사용할 수 있어요. 리조또나 밥 비빔용으로도 요긴해요. 소스를 만들 때 올리브 잎이나 오레가노를 넣으면 향이 좋아집니다.

잉글리쉬브랙퍼스트

" 주말 아침은 늦잠도 자고 싶고 '누가 밥 좀 차려줬으면 좋겠다' 싶은 맘이 듭니다. 어른들은 한 끼 정도 걸러도 상관없지만 아기는 절대 그럴 수 없잖아요. 프렌치 토스트와 스크램블드 에그, 방울토마토, 우유로 한 끼 식사를 간단하게 만들어주세요. 주말 오전에 만들어 먹이기 좋답니다. "

프렌치토스트

스크램블드에그

재 료

- ☐ 식빵 1쪽
- ☐ 달걀 1개
- ☐ 우유(분유 혹은 모유) 1/4컵
- ☐ 소금·아가베시럽·포도씨유 약간씩
- ☐ 방울토마토·완두콩·옥수수 적당량씩

프렌치토스트

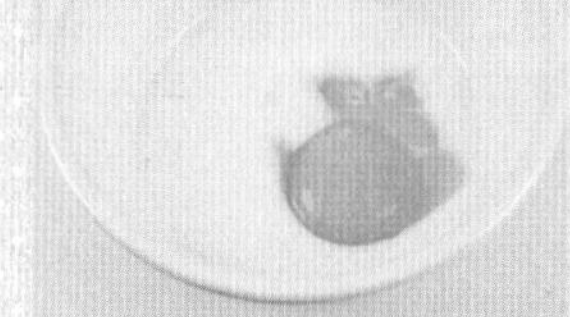

1 달걀에 우유, 소금, 아가베시럽을 넣고 섞는다.

2 ①에 식빵을 푹 담가 적신다.

3 포도씨유를 조금 두른 팬에 식빵을 얹어 중간 불에서 노릇하게 굽는다.

4 아기가 먹기 좋은 크기로 자른다.

스크램블드에그

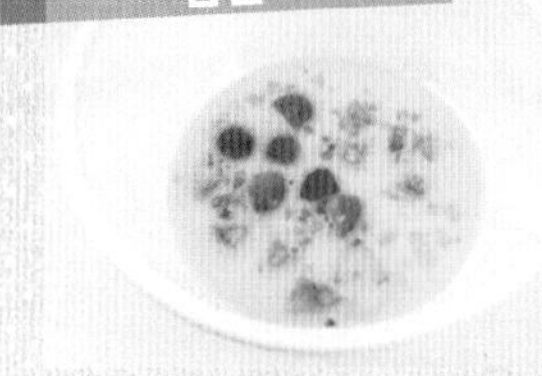

1 프렌치 토스트를 하고 남은 달걀물에 방울토마토를 8등분으로 잘라서 섞는다.

2 ①에 완두콩, 옥수수를 넣고 팬에 볶는다.

● 식빵도 골라서 구입하세요.
식빵은 100% 쌀로 만든 것이나 우리밀 밀가루로 만든 것으로 구입하는 것이 좋아요.

● 분유나 두유를 넣어도 상관없어요.
아직 모유(혹은 분유)만 먹고 우유를 먹기 전이라면 우유 대신 분유나 두유를 넣어서 만드세요.

미니떡국·궁중떡볶이 특히 잘 먹는 이유식

"어른 음식의 축소판, 미니 떡요리 이유식 2가지예요. 떡국 떡을 사다가 떡국을 끓여주면 떡의 크기 때문에 가위로 잘라 주게 됩니다. 그렇게 하면 크기도 일정하지 않고 모양도 예쁘지 않아요. 쌀 떡볶이 떡을 사다가 작게 잘라서 냉동실에 넣어두세요. 아기 전용으로 이유식을 예쁘게 만들어 줄 수 있답니다."

미니떡국

궁중떡볶이

미니떡국

재 료

- 쌀 떡볶이 떡 3개
- 쇠고기 30g(2큰술)
- 백일송이버섯 5g(1큰술)
- 팽이버섯 4가닥
- 달걀 1개
- 다진 파 1작은술
- 육수 1과 1/2큰술
- 간장·참기름 1/3작은술씩

1 떡볶이 떡은 실온에서 살짝 말리고 둥근 모양을 살려 0.5cm 두께로 썬다. 어슷썰기하면 너무 커지니 90° 각도로 썬다.

2 쇠고기와 백일송이버섯은 다진 후 간장과 참기름을 조금 넣고 볶는다. 이것은 밥에 비벼 먹어도 맛있다.

3 팽이버섯은 다지고 달걀은 흰자와 노른자를 분리해 각각 지단을 부쳐 채 썬다.

4 육수에 떡과 쇠고기, 버섯, 다진 파를 넣고 끓인다. 떡이 퍼지면 그릇에 담고 지단 채를 얹는다.

궁중떡볶이

재 료

- 쌀 떡볶이 떡 4개
- 쇠고기 20g(1과 2/3큰술)
- 양파 10g(1큰술)
- 파프리카 5g(2/3큰술)
- 당근 5g(1/2큰술)
- 표고버섯 5g(1큰술)
- 다진 파 1작은술
- 양파 즙 1작은술
- 간장·아가베시럽·참기름·깨소금 약간씩
- 육수 1/2컵

1 떡볶이 떡은 실온에서 살짝 말린 다음 둥근 모양을 살려 0.5cm 두께로 썬다.

2 양파, 파프리카, 당근은 채 썰고, 표고버섯은 다진다.

3 쇠고기는 다진 후 다진 파, 양파 즙, 간장, 아가베시럽, 참기름을 넣고 밑간한다. 참기름을 두른 팬에 쇠고기와 다진 채소를 넣고 볶다가 떡을 넣는다.

4 ③에 육수를 붓고 떡이 퍼질 때까지 끓인다. 마지막에 깨소금을 뿌려 마무리한다.

미니깻잎미트로프
수제햄버그스테이크

"죽 종류로 이유식을 만들 때는 고기를 꼬박꼬박 챙겨서 많이 먹였는데, 아기가 클수록 고기를 챙겨 먹이기가 쉽지 않더라고요. 이럴 때는 **햄버그스테이크나 미트로프를 넉넉히 만들어서 냉동실에 넣어두면 고단백 반찬으로 두고두고 먹을 수 있어요.** 햄버그스테이크는 반죽을 동글 납작하게 빚어서 냉동 보관하고, 미트로프는 익힌 다음 냉동 보관하세요."

미니깻잎미트로프

수제햄버거스테이크

미니깻잎미트로프

재 료

- ▢ 다진 쇠고기 100g
- ▢ 삶은 메추리알 4개
- ▢ 깻잎 2장
- ▢ 양파 10g
- ▢ 다진 파 1작은술
- ▢ 다진 마늘 1/2작은술
- ▢ 소금·맛술·밀가루·포도씨유 약간씩

1 깻잎과 양파는 작게 다진다.

2 다진 쇠고기에 깻잎, 양파, 다진 파, 다진 마늘, 소금, 맛술을 넣고 반죽한다.

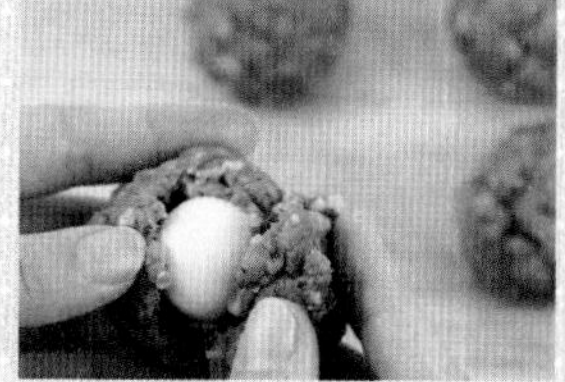

3 삶은 메추리알은 밀가루를 묻힌 후 반죽으로 감싼다.

4 달군 팬에 포도씨유를 두르고 ③을 굴려가며 다 익을 때까지 굽는다.

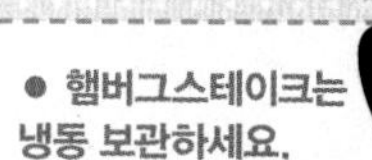

● **햄버그스테이크는 냉동 보관하세요.**
햄버그스테이크를 냉동 보관할 때 패티 한 장, 비닐(종이호일) 한 장 순서로 쌓아서 얼리면 하나씩 떼어내기 편해요.

수제햄버거스테이크

재 료

- ▢ 다진 쇠고기·다진 돼지고기 100g씩
- ▢ 브로콜리 20g(2큰술)
- ▢ 호박 20g(1과 1/2큰술)
- ▢ 버섯 20g(4큰술)
- ▢ 양파 30g(2큰술)
- ▢ 파프리카 20g(2와 2/3큰술)
- ▢ 당근 10g(1큰술)
- ▢ 달걀 1개
- ▢ 빵가루 8~9큰술
- ▢ 소금·포도씨유 약간씩

1 채소는 아주 잘게 다진다. 크게 다지면 뭉치기 힘들다.

2 고기에 다진 채소와 달걀, 소금을 넣고 반죽한다.

3 ②에 빵가루를 넣어가며 반죽의 농도를 조절한다. 20분 이상 반죽한 후 냉장고에 넣어서 1시간 정도 숙성시킨다.

4 반죽을 먹기 좋은 크기로 동글 납작하게 빚은 후 달군 팬에 포도씨유를 두르고 노릇하게 굽는다.

완료기 간식 1

시금치달걀빵

재 료

- ▢ 시금치 2뿌리
- ▢ 달걀 2개
- ▢ 아가베시럽·소금·포도씨유 약간씩

1 시금치는 깨끗하게 손질한 후 끓는 물에 살짝 데쳐 물기를 꼭 짜고 잘게 썬다.
2 믹서에 달걀과 시금치를 넣고 시금치 잎이 보이지 않을 때까지 곱게 간다. 아가베시럽과 소금은 기호 대로 넣는다.
3 달군 팬에 포도씨유를 조금 두르고 ②의 반죽을 올려 약한 불에서 굽는다. 살짝 부풀어 오르면 반으로 접어서 앞뒤로 굽는다.

** 달걀은 믹서에 갈아 반죽에 넣으면 팬에 구울 때 살짝 부풀어 올라 빵 같은 질감이 납니다.

율란

재 료

- ▢ 밤 20개
- ▢ 아가베시럽 1큰술
- ▢ 잣가루 약간씩

1 밤은 속껍질까지 벗긴 다음 끓는 물에 삶는다. 다 익으면 물을 버리고 포실하게 익힌다.
2 삶은 밤은 뜨거울 때 체에 내린 후 아가베시럽을 넣고 버무린다.
3 밤모양으로 빚고 잣가루를 묻힌다.

채소푸딩

재 료

- 당근 15g(1과 1/2큰술)
- 양파 20g(2큰술)
- 우유(모유 혹은 분유 물) 1/4컵
- 달걀 1개
- 소금 약간

1 당근과 양파는 잘게 다진 다음 데친다.
2 우유와 달걀은 섞은 다음 체에 내린다.
3 ①과 ②, 소금을 잘 섞는다.
4 ③을 그릇에 붓고 김 오른 찜기나 찜통에서 15분 정도 찐다.

귤편

재 료

- 귤 600g
- 아가베시럽 1/4컵
- 물 3컵
- 녹말가루 5큰술
- 소금 약간

1 귤은 껍질을 벗겨 분량의 물을 넣고 삶는다. 과육이 물러지면 끓인 물과 함께 체에 내린다.
2 ①에 아가베시럽과 소금을 넣고 약한 불에서 졸인다.
3 귤즙이 되직해지면 1/4컵을 덜어내 녹말가루와 섞고 다시 냄비에 넣어 저어가며 한소끔 끓인다.
4 ③을 틀에 붓고 바닥에 쳐서 평평하게 만든 후 식히면서 굳힌다.

완료기 간식 2

딸기잼

재 료

- 딸기 600g
- 아가베시럽 100g

1 딸기는 둥근 모양을 살려 얇게 썬 후 아가베시럽을 넣어 버무린다.
2 전자레인지 강에서 30분 조리하되 10분에 한 번씩 꺼내서 휘젓는다.

딸기스무디

재 료

- 딸기 250g
- 아가베시럽·플레인 요구르트 약간씩

1 믹서에 딸기, 아가베시럽, 플레인 요구르트를 한꺼번에 넣어 간다.

단호박양갱

재 료

- ▢ 단호박 200g(20큰술)
- ▢ 한천 3g(1/3큰술)
- ▢ 우유 3/5컵
- ▢ 아가베시럽 1큰술
- ▢ 소금 약간

1 단호박은 무르게 찐 다음 곱게 으깬다.
2 냄비에 한천, 우유를 넣고 약한 불에서 한천이 녹을 때까지 저어가며 끓인다.
3 ②에 단호박과 아가베시럽, 소금을 섞는다.
4 약한 불에서 10분 정도 끓인 후 물을 뿌린 틀에 붓고 2시간 정도 식힌다.

콘샐러드

재 료

- ▢ 냉동 옥수수 알 100g(10큰술)
- ▢ 당근·파프리카·양파 10g씩(1큰술씩)
- ▢ 마요네즈·치즈 약간씩

1 당근과 파프리카, 양파는 다져 팬에 볶는다.
2 냉동 옥수수 알은 해동 후 볶은 채소와 섞는다.
3 ②에 마요네즈와 치즈를 넣고 버무린 후 전자레인지 강에서 1분간 조리한다.

** 마요네즈 만드는 법은 p.293 참고.

Plus Info.

아기에게 줄 음식을 만들 때는 유해 첨가물이 들어 있지 않은,
엄마가 직접 만든 것이 가장 좋아요. 천연 조미료를 비롯해 케첩, 마요네즈,
버터 만들기를 담았습니다. 유기농 & 친환경 식재료 판매처와 식품 첨가물 바로 알기,
바쁜 엄마들을 위한 배달 & 택배 홈메이드 이유식, 엄마들의 이유식 궁금증,
마더스고양이가 추천하는 이유식 관련 제품까지 알찬 정보가 가득합니다.

마더스고양이에게 묻는다!

이유식 시시콜콜 궁금증

Q 이유식 재료는 모두 유기농으로 만들어야 하나요?

A 유기농 식재료를 어느 곳에서나 쉽게 구할 수 있는 것은 아니예요. 정확히 말하자면 친환경을 구입할 것인가에 대한 고민입니다. 요즘은 친환경 농산물 가격이 예전처럼 많이 비싸지 않아요. 때로는 친환경 코너에 있는 농산물이 더 저렴할 때도 있답니다. 재료를 구입할 때 유기농·전환기·무농약·저농약 농산물인지 확인하고, 신선한 재료를 구입하세요. 친환경 제품을 구입하는 것은 아기의 건강만의 문제가 아니라 지구환경을 지키는 중요한 실천 중 하나라고 생각합니다. 그렇다고 제가 100% 친환경 재료만 쓰는 것은 아닙니다. 노력하는 것이지요.

Q 쇠고기는 어떤 부위를 먹여야 할까요? 등급도 알려주세요.

A 쇠고기는 가장 부드럽고 기름기가 적은 부위인 안심을 먹이면 됩니다. 쇠고기 등급은 1++, 1+, 2 ,3등급으로 나누어져 있어요.(수입육은 아직 정해진 등급제가 없어요.) 1++등급이 가장 맛있는 등급입니다. ABC로 나누어져 있는 것은 소 한 마리를 도축했을 때 얼마나 많은 양의 고기가 나오는지에 따라 매겨지는 등급이니 숫자로 표기된 것만 신경쓰시면 됩니다. 쇠고기 이력제를 활용하면 믿을 수 있는 쇠고기를 구입하실 수 있어요.

Q 이유식을 너무 안 먹어서 걱정이에요.

A 가끔 이유식을 너무 많이 먹어서 걱정이라는 엄마들이 있는데, 잘 먹는 시기에는 무조건 많이 먹이세요. 아기들을 키우다보면 잘 먹다가 잘 안 먹다가 하기 때문에 아기가 잘 안 먹는 시기에는 일단 지켜보라고 할 수 밖에 없어요. 하지만 몇 가지 체크는 해볼 수 있답니다. 이유식 시기가 너무 빠르지는 않았는지, 아기 컨디션이 나쁠 때 먹이지는 않았는지, 배가 부를 때 먹이지는 않았는지, 아기가 너무 배가 고플 때 먹이지 않았는지, 이유식 농도가 너무 되직하지는 않았는지, 이유식 덩어리가 너무 크지는 않았는지, 아기가 아프거나 목이 부어 있지는 않은지, 아기가 이가 나고 있지는 않은지, 아기가 새로운 것(배밀이, 잡고 서기 등의 행동발달)을 하고 있지는 않은지, 변비가 있는 것은 아닌지, 이유식 먹는 시간이 너무 지루하지는 않은지, 입 안에 가득 차게 이유식을 먹이는 것은 아닌지, 빈혈이 있는 것은 아닌지, 중기 이후라면 육수를 쓰지 않고 맹물로 이유식을 만들어 먹이지는 않았는지 등 여러 가지 상황이 있어요. 아기가 잘 먹다가 안 먹으면 이유식 덩어리를 작게 만들어주세요. 전 단계로 돌아가서 다시 시작하는 마음으로 만들어주면 됩니다.

Q 이유식을 먹다가 자꾸 딴 짓을 해요.

A 아기들은 집중력이 아주 짧아요. 이유식을 먹는 동안 처음부터 끝까지 이유식에 집중하면 좋겠지만, 집중해서 먹는 날도 있고 집중하지 못하는 날도 있답니다. 이유식을 먹는 동안 즐겁게 말도 걸어주고 다양한 표정을 연출하면서 집중을 시키는 것도 한 방법입니다. 손에 숟가락을 쥐어줘서 아기도 같이 떠 먹을 수 있도록 해주세요. 식탁과 바닥은 엉망이 되겠지만 그것도 자라는 과정 중 하나입니다. 책을 보면서 이유식을 먹이세요. 손으로 누르거나 가지고 놀 수 있는 장난감을 주는 것도 좋아

요. 소리가 나는 장난감이면 효과는 더 좋습니다. 이 방법을 매 번 쓸 수는 없어요. 그냥 먹이기도 하고 여러 가지 방법을 동원하기도 하는 거예요. 이유식의 길은 멀고도 험하고 많은 인내를 필요로 합니다.

Q 아기들 물은 무엇으로 먹여야 할까요?

A 생수 같은 맹물이나 끓인 물을 먹여도 되고, 유기농 보리차나 유기농 루이보스티를 먹여도 됩니다. 차가운 물보다 약간 미지근한 물을 주는 게 좋아요. 주스를 먹일 때는 집에서 과일즙을 직접 내서 그냥 주거나 희석해서 주는 게 가장 좋습니다. 시판 주스를 먹일 때에는 첨가물이 들어 있는지, 설탕이나 감미료가 들어 있는지 확인하고 먹이세요.

Q 이유식을 먹고 구강관리는 어떻게 해야 할까요?

A 젖만 먹는 아기들도 자기 전 목욕할 때 가제수건 등으로 입 안을 닦아줘야 합니다. 입 안을 닦아주는 가제수건 만큼은 유기농 제품을 사용해 주세요. 왜냐하면 형광표백 물질이 가제수건, 천기저귀에도 다량 검출되는데, 아무리 삶아도 없어지지 않기 때문입니다. 이가 1~2개 정도 나면 손가락 칫솔을 사용하세요. 이가 날 때 잇몸이 근질근질한데, 이 때 맛사지를 해주는 것도 좋습니다. 본격적으로 이가 나기 시작하면 아기용 치실(일회용)을 사용하세요. 이 사이에 음식물이 끼면 이가 썩는답니다. 그리고 구강티슈를 사용해주세요. 일회용 포장이라서 위생적이고, 특히 외출할 때 아주 편해요. 단, 제품을 고를 때는 성분 표시를 확인하고 엄마가 먼저 써보고 아기에게 사용하세요. 치약은 아기가 잘 뱉지 못하고 먹기 때문에 불소와 계면활성제 성분이 들어 있지 않고, 단맛이 나지 않는 유기농 제품으로 구입하는 게 좋습니다. 보통 치약은 후기 이유식 들어갈 무렵인 9개월 이후부터 사용합니다.

Q 초유나 비타민, 홍삼, 한약 등은 언제 먹여야 할까요?

A 밥 잘 먹는 아기라면 세 돌까지 먹지 않아도 된다고 하지만 엄마 마음은 또 그렇지 않지요. 영양제를 먹이면 이유식이나 밥을 잘 먹고 아프지도 않고 잘 큰다고 해서 저도 아기 때부터 먹였어요. 아기들이 먹는 영양제는 초유, 산양유, 유산균, 비타민제, 프로폴리스, 홍삼 등이 있습니다. 초유와 산양유는 신생아 때부터 먹을 수 있는데, 가루로 된 것은 분유에 타서 먹이거나 이유식에 섞어 만들기도 해요. 씹어 먹는 츄어블 형태로 된 초유는 10개월 무렵, 이가 났을 때 먹일 수 있어요. 유산균은 꼭 먹이지 않아도 되지만 변비가 있거나 밥을 잘 안 먹는 아기에게 먹이면 좋아요. 액상형이나 가루로 된 것은 분유에 타서 먹이거나 숟가락에 담아서 먹일 수 있어요. 씹어 먹는 츄어블 형태는 10개월 무렵, 이가 났을 때 먹일 수 있어요. 비타민제도 츄어블 형태는 이가 나면서부터 먹일 수 있지만, 보통 첫돌 지나서 먹이기 시작합니다. 비타민제에 합성감미료나 첨가물이 들어 있지는 않은지 확인하고 먹이세요. 꿀에서 추출한 프로폴리스는 면역력 강화는 물론 감기 걸렸을 때 먹이면 좋지만 꿀 성분 때문에 돌 지나서 먹여야 합니다. 액상형과 츄어블 형태가 있는데, 어른용은 너무 써서 먹을 수 없으니 아기용으로 구입하세요. 하지만 너무 많이 먹이면 내성이 생기므로 과용하면 안 됩니다. 홍삼은 빠르면 두 돌 이후에 먹이기 시작합니다. 아기들은 15~20㎖ 정도 들어 있는 한 포를 다 먹기는 양이 너무 많으므로 하루에 1/2포만 먹이기도 합니다. 홍삼도 첨가물이 들어있는 것이 많으니 성분을 확인하시고 제품마다 맛이 다르므로 아기가 잘 먹는 것으로 먹이세요. 한약은 돌 지나서 먹이는데, 아기들은 일반 한약이 아니라 한약 향이 살짝 나는 정제수를 먹입니다. 병원이나 한의원마다 의견이 분분하니 판단은 엄마가 하세요.

Q 빨대컵, 스파우트컵이란 뭔가요? 아기에게 어떤 걸 어떻게 줘야 하나요?

A 중기 이유식 들어가면서 혹은 초기 이유식 후반부터 빨대컵 연습을 시작합니다. 빨대컵은 말 그대로 빨대가 달린 컵이고, 스파우트컵은 입구가 튀어 나와있고 부드러운 재질로 되어있어서 젖병처럼 빨아먹는 형태입니다. 순서는 스파우트컵→빨대컵→일반 컵이라고 하지만 사실 순서는 중요하지 않습니다. 저희 아기는 일반 컵→빨대컵→스파우트컵 순으로 접했는데, 스파우트컵은 싫어하더라고요. 하지만 어떤 아기는 스파우트컵을 선호하기도 합니다. 빨대컵 연습은 엄마가 시범을 보여주거나 물이 나온다는 것을 알려주면 본능적으로 빨 수 있는데, 컵의 종류에 따라 빨대의 굵기나 형태 등이 다 다르

므로 사용 후기를 찾아보고 아기에게 가장 적당한 것으로 구입하세요. 보통 1개로 끝까지 가지는 못하고, 최소한 2개는 사게 됩니다. 빨대컵에는 뜨거운 물은 담지 마시고 재질은 PP재질을 구입하세요.

Q 간식으로 빵이나 카스텔라 같은 것을 먹여도 될까요?

A 아기 개월수가 어떻게 되느냐에 따라 다르지만 안 먹이는 게 가장 좋아요. 시판되는 빵에는 유화제나 방부제 등의 식품첨가물뿐만 아니라 돌 전에 먹으면 알레르기를 일으킬 수 있는 달걀흰자도 들어있어요. 설탕과 버터, 쇼트닝도 다량 들어 있습니다. 만일 먹이신다면 우리밀로 된 빵이나 유기농 혹은 쌀로 만든 제품을 구입하세요. 되도록이면 달지 않은 제품으로 먹이세요. 가장 좋은 방법은 믿을 수 있는 재료로 집에서 직접 만들어주는 거랍니다.

Q 채소 다지기는 어떤 것을 써야 할까요?

A 채소 다지기는 전기를 사용하는 믹서 형태와 전기 없이 수동으로 사용하는 것이 있는데, 믹서 형태로 채소를 다지면 비타민이 파괴된다고 합니다. 수동으로 사용하는 것은 채칼, 원형으로 된 몸통 위쪽에 손잡이가 달려있어서 위에서 아래로 내려치는 방식, '게푸 채소 다지기'라는 손잡이를 돌려서 가는 방식, '휘슬러 파인컷'이라고 하는 손잡이를 잡아당기면 원심력에 의해 칼날이 돌아가면서 채소가 다져지는 방식, 이 네 가지가 가장 많이 쓰는 방법입니다. 채소 칼은 음식이 칼날에 묻지 않아서 편리하지만 익숙해질 때까지는 손을 다치기도 합니다. 내려치는 방식은 채소 다지기 용도가 아니라 원래 샐러드 잎을 다지는 용도라고 하는데, 손목이 아프고 세척을 깔끔하게 하기 힘들어요. 게푸 채소 다지기는 제가 지금도 잘 쓰고 있는 제품인데, 손잡이를 돌리는 방식이라 시끄럽지 않고 재료의 크기도 균일하게 갈려요. 마늘 다짐 캡을 넣으면 좀 더 작게 갈려요. 하지만 적은 양을 갈 때는 옆에 붙어 있는 게 더 많아서 볶음밥을 하거나 후기·완료기 이후에 많은 양을 만들 때 쓰면 좋아요. 세척이 쉽고, 정품을 사면 A/S가 가능해요. 단점은 사이즈 조절이 거의 안 돼서 시기별로 굵기를 정확하게 하기 힘들다는 점입니다. 휘슬러 파인컷은 손잡이가 달린 끈을 잡아당기면 채소가 갈리는데 소음이 있어요. 끈을 몇 번 잡아당기느냐에 따라 아주 작게도 갈리는데, 모양이 일정하지 않아서 음식을 했을 때 예쁘지는 않아요. 좀 크게 다지고 싶을 때는 끈을 몇 번 당기지 않기 때문에 골고루 갈리지 않고 어느 쪽은 크게 어느 쪽은 작게 갈리는 경우도 있어요. 초기나 중기 이유식처럼 아주 작게 갈 때 좋아요. 하지만 뚜껑을 씻을 수 없고, 제품이 파손되어도 A/S가 안 되는 단점이 있어요.

Q 완료기 이후 간은 무엇으로 하는 게 좋을까요?

A 저도 돌쯤부터 조금씩 간을 하기 시작했어요. 그때 무엇으로 간을 해야할지 많이 찾아보고 고민도 했답니다. 소금은 절대 맛소금이나 정제 소금 같은 것은 사용하지 마시고 미네랄이 풍부하게 들어있는 천일염이나 호수소금 등 좋은 소금을 사용하세요. 가격이 조금 비싸지만 소금은 한번 사면 오래 먹는답니다. 간장은 첨가물이 들어 있지 않고 산분해 간장을 섞은 혼합 간장이 아닌 유기농 간장을 사용하세요. 어른들 것까지는 부담스럽다면 아이가 먹는 간장만큼은 따로 구입하세요. 단맛을 내기 위해서는 설탕이나 꿀 대신 올리고당, 조청, 아가베 시럽을 사용했습니다. 유기농 제품이고 맛과 향이 거의 없어 음식 본연의 맛을 해치지 않는답니다. 칼로리가 낮고 혈당상승지수가 아주 낮아 아기에게 먹이기 적합해요. 완료기 이후부터 지금까지 아가베 시럽 없는 아기 식단은 상상할 수 없답니다.

천연 조미료 만들기

● 다시마 가루 (중기 이후)

칼슘과 미네랄, 요오드, 섬유질이 풍부하며 국, 볶음, 조림 등에 잘 쓰입니다.

만들기 젖은 행주로 다시마 표면의 이물질과 염분을 닦아낸 후 기름 없는 팬에 볶아 수분을 날린다. 손질한 다시마를 분쇄기에 곱게 간다.

● 표고버섯 가루 (중기 이후)

표고버섯은 칼슘의 흡수를 돕는다는 비타민 D가 풍부하고 항암효과가 높습니다. 생표고버섯보다 말린 표고버섯의 영양이 더 뛰어납니다.

만들기 표고버섯 밑동과 갓을 분리한 다음 채반에 널어 햇볕에 말린다. 젖은 행주로 마른 표고버섯의 이물질과 먼지 등을 닦아낸 다음 마른 팬에 바짝 굽거나 오븐에 넣어 건조시킨다. 손질한 마른 표고버섯을 분쇄기에 넣고 곱게 간다.

● 새우 가루 (후기 이후)

단백질, 칼슘, 비타민, 무기질 등이 풍부하며 해물 요리, 국, 찌개, 나물 무침 등에 잘 쓰입니다.

만들기 마른 새우는 다리와 수염을 떼어낸 뒤 찬물에 헹구고 채반에 널어 말리거나 마른 팬에 살짝 볶아 비린내를 없앤 다음 분쇄기에 곱게 간다.

● 멸치 가루 (완료기 이후)

칼슘이 풍부하게 들어 있어서 성장기 아이들에게 좋지만 짠맛이 강하므로 이유식 완료기 후반 이후에 사용하세요. 국, 찌개, 볶음, 조림 등 다양하게 사용할 수 있으나 비린내를 충분히 제거하지 않고 만들면 음식이 풍미가 오히려 떨어지기도 하니 바짝 말려서 갈아주세요.

만들기 멸치의 머리와 내장을 제거한 후 마른 팬에 살짝 볶거나 전자레인지에 돌려서 물기와 비린내를 제거한 다음 분쇄기에 곱게 간다.

● 그 외 천연 조미료 및 천연 가루

시금치, 홍합, 양파, 당근, 북어, 마늘, 생강, 양배추, 귤, 도라지, 브로콜리, 호박, 구기자 등으로 만든 가루가 있습니다. 집에서 말릴 때는 곰팡이가 생길 우려가 있으므로 친환경 숍 등 믿을 만한 곳에서 구입하는 게 더 좋습니다.

케첩, 마요네즈, 버터 만들기

토마토케첩

재료 토마토 1개, 아가베시럽 1큰술, 식초·소금 약간씩

만들기

01 토마토는 꼭지 반대쪽에 십자로 칼집을 낸 다음 뜨거운 물에 데친다.

02 칼집을 넣은 부분의 껍질이 일어나면 건져내 껍질을 벗긴다.

03 껍질을 벗긴 토마토를 믹서에 간 후 체에 내린다.

04 체에 내린 토마토에 아가베시럽, 식초, 소금을 넣고 수분이 날아갈 때까지 끓인다.

Tip 반드시 냉장 보관하고, 보관 기간은 1주일입니다.

마요네즈

재료 두유 1/2컵, 포도씨유 1컵, 레몬즙 1큰술

만들기

01 믹서에 두유를 넣고 포도씨유를 조금씩 섞어가면서 간다.

02 되직해지면 ①에 레몬즙을 넣고 조금 더 간다. 되직해졌다고 해서 절대 뭉쳐지지 않는다. 레몬즙을 넣어야 마요네즈 같은 묽기가 나온다.

Tip 반드시 냉장 보관하고, 보관 기간은 2주일입니다.

버터

재료 생크림 1팩

만들기

01 생크림을 믹서에 넣고 지방과 물이 분리될 때까지 간다.

02 유지방을 체로 걸어낸 다음 면보에 담아 나머지 물을 꼭 짠다.

03 작은 덩어리로 나눠 담아 냉동실에 보관한다.

Tip 냉동 보관시 장기간 보관 가능합니다. 휘핑크림과 생크림은 다릅니다. 첨가물이 들어 있지 않은 유지방 100%의 생크림으로 구입하세요. 완료기 이후 볶음밥 등을 할 때 사용하세요.

유기농 & 친환경 식재료 판매처 및 인증제도

- **무공이네** www.mugonghae.com
- **아이쿱생협** www.icoop.or.kr/coopmall
- **이팜** www.efarm.co.kr
- **초록마을** www.hanifood.co.kr
- **한살림** shop.hansalim.or.kr
- **친환경농산물 인증 시스템** www.enviagro.go.kr
- **쇠고기이력제** www.mtrace.go.kr
- **우수농산물인증제도 GAP정보서비스** www.gap.go.kr
- **농림수산부 그린밥상** www.greenbobsang.com

• 유기농산물

3년 이상 유기합성 농약과 화학 비료를 사용하지 않고 재배한 농산물.

• 전환기유기농산물

1년 이상 유기합성 농약과 화학 비료를 사용하지 않고 재배한 농산물.

• 무농약농산물

유기합성 농약은 일체 사용하지 않고, 화학 비료는 권장 시비량의 1/3 이내 사용.

• 저농약농산물

화학 비료는 권장 시비량의 1/2 이내를 사용하고 농약살포 횟수는 농약 안전사용 기준의 1/2 이하, 사용 시기는 안전사용 기준 시기의 2배수 적용. 제초제는 사용하지 않고 잔류농약은 농산물의 농약잔류 허용기준의 1/2 이하.

• 유기가공식품

인증받은 유기원료인 유기농산물, 유기축산물 등을 유기적인 방법으로 가공한 식품으로, 생산된 원재료가 최종 단계에서 95% 이상 남아 있고 식품산업진흥법에 따라 인증받은 식품.

• 유기축산물

유기축산물은 대량 생산을 위한 집약적 공장형 사육환경이 아닌 충분한 공간 및 방목조지를 겸비한 환경에서 사육 생산되며, 분뇨처리 또한 친환경적으로 처리되는 조건에서 유기축산물 인증기준에 맞게 재배, 생산된 유기사료를 급여하며, 성장촉진제, 항생제, 호르몬제 등을 사용하지 않고 인증기준을 지켜 생산한 축산물.

• 무항생제축산물

항생제, 항균제, 성장호르몬제 등이 첨가되지 않은 일반사료를 급여하면서 사육밀도를 적정하게 하여 깨끗한 사육환경에서 위생적으로 생산하고, 안전한 축산인증 기준을 지켜 생산한 축산물.

배달 & 택배 홈메이드 이유식

엄마가 집에서 직접 이유식을 만들어 먹이는 것이 가장 좋다는 것은 누구나 알고 있어요. 하지만 엄마가 바쁘거나 아플 때 혹은 너무 힘들 때는 배달이나 택배로 이유식을 시켜먹는 것도 나쁘지 않다고 생각합니다. 마트에서 파는 레토르트나 가루로 된 인스턴트 이유식을 먹이는 것 보다는 훨씬 현명한 선택이니까요. 배달 이유식은 집에서 만든 것과 비슷하고, 집에서 데우기만 하면 되기 때문에 편리합니다. 하지만 고기의 양이 적은 편이고 업체마다 다르기는 하지만 밥에 비해 채소의 비율이 너무 적은 경우도 있습니다. 묽기나 덩어리가 정해져 있어서 이유식에 아기를 맞춰야 할 때도 있습니다. 그리고 이유식 재료의 선정에 있어서도 자유로운 편이라서 이 책을 기준으로 했을 때, 개월 수에 맞지 않은 재료로 이유식을 만드는 경우도 많으니 엄마 스스로 판단하세요. 아기가 먹어서 별 탈이 없으면 큰 문제는 없습니다. 위생적인 환경에서 이유식을 만들기는 하지만 대량 생산을 하다 보니 간혹 이물질에 대한 논란이 있다는 점은 감안하세요. 배달 이유식에 비해 택배 이유식이 가격은 저렴한 편이지만 냉장고에 오래 보관하고 먹어야 하기 때문에 맛이 좀 떨어집니다. 여러 업체를 비교해서 아기에게 가장 잘 맞는 곳을 선택하세요.

- **베베쿡** 직접 배달 / PP(폴리프로필렌)용기 / www.bebecook.com / 1588-2655
- **베이비밀(풀무원)** 직접 배달 / PP(폴리프로필렌)용기 / www.babymeal.co.kr / 080-022-0085
- **본아기죽** 가까운 매장에서 직접 수령 / PP(폴리프로필렌)용기 / www.bonjuk.co.kr / 1644-0288
- **짱죽** 택배 배달 / PP(폴리프로필렌)용기 / 오픈마켓에서 판매 중(G마켓, 옥션, 11번가 등) / 02-2209-9011
- **푸드케어시스템** 직접 배달 / 유리병 / www.eusik.com / 1577-7003
- **하이클래스** 택배 배달 / 유리병 / 오픈마켓에서 판매 중(G마켓, 옥션, 11번가 등) / 033-631-8878

식품첨가물 바로알기

임신을 하면서부터 식품을 살 때마다 제품 뒷면의 성분 표시를 보는 습관이 생겼어요. 대부분의 가공 식품들은 다량의 식품 첨가물을 함유하고 있어요. 하지만 소비자들은 그 성분이 무엇이며, 어디에 나쁜지 제대로 알기가 힘들어요. 그렇다고 식품 첨가물의 명칭, 부작용 등을 모두 알 필요는 없어요. 하지만 식품 첨가물을 많이 섭취하고, 여러 종류의 식품 첨가물을 동시에 섭취하면 건강을 해칠 수 있다는것 정도는 알고 있어야 합니다. 요즘은 무첨가 식품들이 많이 나오고 있는데, 무첨가만 강조하고 그것을 대신한 다른 무언가를 넣었다는 것은 말하지 않는 제품들도 많아요. 아기 전용 혹은 자연, 천연, 웰빙 등의 말에 속지 마세요. 반드시 눈으로 확인해야 합니다. 지금 무엇을 먹고 있는지 정도는 알고 있는 현명한 엄마가 되세요. 식품첨가물의 종류는 400가지가 넘습니다. 여기서는 자주 거론되는 것들을 정리했습니다. 여기에 없다고 안전한 것은 아닙니다. 안전한 식품을 고르는 가장 쉬운 방법은 식품을 고를 때 인증 마크(p.294 참고)를 확인하고 복잡하게 적혀 있지 않은 것을 고르는 것입니다.

종류 / 이름	증상	함유식품
발색제 아질산나트륨, 질산나트륨, 질산칼륨	빈혈, 급성 구토, 발한, 의식 불명, 기관지염, 천식, 위점막 자극, 신경염, 발암	햄, 과일, 채소
산도조절제(PH조정제, 방부제) 사카린나트륨, 소르비톨, 수크랄로즈, 아세설팜칼륨, 아스파탐(아스파르탐)	아토피, 체내 PH조절 실패	과자, 라면, 빵, 맛살 등 대부분의 가공식품
산미료(품질계량제) 아디핀산, 인산, 젖산, 주석산, 푸마르산, DL-사과산	염색체 이상, 급성 출혈, 적혈구 감소	음료수, 햄, 통조림, 면류, 냉동식품
산화방지제 EDTA2나트륨, EDTA칼슘2나트륨, 디부틸히드록시아니솔, 디부틸히드록시톨루엔, 부틱히드록시톨류엔(BHT), 에르소르빈산나트륨, 프틸하이드로키시마니솔(BHA), 차아황산나트륨	콜레스테롤 상승, 유전자 손상, 피부 자극, 성호르몬감소, 신경계 이상, 발암	햄, 마요네즈, 과자, 스프, 쇼트닝, 주스, 통조림 옥수수, 라면, 생선 절임
살균제 에틸렌옥사이드, 차아염소산나트륨, 표백분	피부염, 고환 위축, 유전자 파괴, 발암	두부, 어묵, 햄, 음료, 과일, 채소, 음료수, 단무지, 두부

종류 / 이름	증상	함유식품
유화제 글리세린지방산에스테르, 소르빈산지방산에스테르, 에스켈프로필렌글리콜지방산에스테르	발암물질 흡수 촉진, 기형	아이스크림, 마가린, 마요네즈, 햄
팽창제 L-주석산수소칼륨, 글루콘산, 탄산수소나트륨, 황산알루미늄암모늄	카드뮴, 납 등 중금속 중독	과자, 빵, 초콜릿, 케이크
표백제 아황산나트륨	두통, 복통, 순환기 장애, 신경염, 만성 기관지염, 천식	과자, 빵, 아이스크림
합성감미료(인공감미료) 사카린나트륨, 소르비톨, 수크랄로즈, 아세설팜칼륨, 아스파탐(아스파르탐)	소화기, 콩팥 장애, 급성 중독, 발암, 비만, 충치	아이스크림, 우유, 청량 음료, 과자, 간장
합성보존료(방부제) 디하이드로초산(DHA), 소르빈(솔빈산), 아질산나트륨, 안식향산나트륨, 륨나트륨, 질산칼륨, 프로피온산	발암, 중추신경 마비, 출혈성 위염	햄, 간장, 된장, 어묵, 치즈, 초콜릿, 고추장, 자장면, 음료수, 마가린, 단무지, 생과자, 빵, 오이지, 청주, 과일과 채소의 표피, 통조림 옥수수
합성착색료 타르색소,○색○호 등	알레르기 및 천식 유발 가능성, 간·혈액·콩팥 장애, 뇌 장애, 발암	음료수, 사탕, 아이스크림, 버터, 치즈, 과자, 햄, 통조림, 맛살, 단무지 등 거의 모든 가공식품
화학조미료 5'이노신산이나트륨, 5'리보뉴크레오티드이나트륨, DL-알라닌, 석산나트륨, L-글루타민산, L-글루타민산나트륨, MSG, 글리신, ~시즈닝, ~조미분, ~향	뇌혈관 장애, 성장호르몬, 생식기능과 갑상선 장애, 입의 신경세포 파괴	라면, 음료수, 맛소금, 과자, 통조림, 카라멜, 카레
기타 단백가수분해물	미각 파괴	라면
안정제	중금속 배출 방해	아이스크림, 햄
합성착향료	비만	우유, 과자, 햄, 주스, 라면

마더스고양이's choice

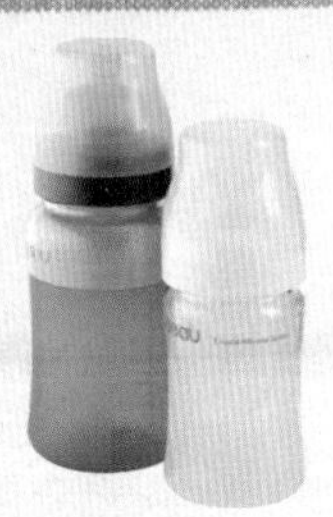

벤타 에어워셔

아기 낳고 필수품으로 준비하는 것 중 하나가 바로 가습기예요. 종류도 많고 가격 차이도 커서 어떤 제품을 구입할까 고민을 많이 하게 됩니다. 기존의 가습기는 통과 몸체를 깨끗하게 세척하는 게 불편하고, 조금만 관리를 소홀히 하면 세균이 많이 번식한답니다. 가습기를 세게 틀면 이슬이 생겨서 방 전체가 눅눅해지고요. 벤타에어워셔는 가격이 부담스럽지만 한 번 사면 반 영구적으로 오래 쓸 수 있어요. 세척과 청소가 아주 간단하고 세균 번식 걱정이 없으며, 자연가습과 공기청정 기능까지 동시에 되는 강추 제품입니다.

앙뽀 젖병

저는 아기가 젖병을 사용할 때 젖병을 끓는 물에 삶기도 했어요. 환경호르몬이 얼마나 무서운지 몰랐었고, 아기가 사용하는 제품은 다 삶아야 되는 줄 알았답니다. 환경호르몬이 나오지 않는 플라스틱이라고 해도 뜨거운 물에 닿으면 안 나올 수가 없다고 합니다. 앙뽀 젖병은 몸체와 젖꼭지 부분이 의료용 실리콘 소재로 만들어져서 뜨거운 물에 삶아도 안심이에요. 말랑말랑한 실리콘 느낌이 너무 좋아서 아기가 분유를 먹을 때도 엄마 젖을 만지는 기분으로 분유 수유를 할 수 있어요.

베이비오가닉 물티슈와 구강티슈

아기에게 잘 맞는 물티슈를 사느라 이것저것 많이 써봤는데, 베이비오가닉만큼 좋은 제품은 아직까지 못 찾았어요. 다른 제품들은 부직포로 되어있는 반면 베이비오가닉 물티슈는 순면 100%로 가제수건과 같은 촉감이에요. 성분도 유기농이라서 예민하고 부드러운 피부를 가진 아기들이 사용하기에도 전혀 부담이 없답니다. 특히 얼굴이랑 손발을 닦을 때 좋고, 짓무르기 쉬운 엉덩이에도 부드럽게 사용할 수 있어요. 구강티슈는 순면 100%에 유기농 성분으로 만들어져서 알코올 향이나 기타 화학적인 향은 전혀 나지 않아요. 아기가 빨아도 걱정이 없답니다. 가제수건도 잘 관리하지 않으면 세균이 많다고 하는데, 외출시나 집에서 사용하기 좋고 모유 수유 전 엄마 젖을 닦는데 사용하기에도 좋답니다. 지금까지도 잘 쓰고 있는 제품이에요.

치어럽스 유기농스킨케어·그린베이비 유기농스킨케어

저는 아기 먹을거리와 더불어 아기 스킨케어에도 공을 많이 들였어요. 그래서 수십 가지의 제품을 사용해봤습니다. 그중 베스트 오브 베스트로 꼽을 수 있는 제품이 바로 치어럽스와 그린베이비예요. 스킨케어 제품을 고르실 때는 천연이나 유기농 성분이라는 말에 쉽게 속으면 안 됩니다. 화학 성분으로 만든 제품에 천연 성분을 아주 조금 넣고 천연 제품이라고 하거나 유기농 성분을 아주 조금 넣고 유기농 제품이라고 과대 광고를 한답니다. 제품을 고를 때는 성분이 뭔지 그 성분이 얼마나 들어 있는지 확인하셔야 합니다. 제품 자체가 유기농 인증을 받으려면 유기농 성분이 전체 제품의 95% 이상이 들어있어야 합니다. 치어럽스와 그린베이비는 유기농 제품일 뿐만 아니라 발림과 보습 그리고 피부 트러블 개선 효과까지 다 마음에 들어요. 하지만 다른 모든 제품이 그렇듯이 아기에 따라 맞지 않을 수 있습니다. 치어럽스라인에서 수디, 오일은 최고예요. 밤, 헤어앤바디워시, 버블도 좋습니다. 그린베이비라인에서 나피밤, 프리젤리는 발진과 태열, 트러블, 땀띠 등에 효과가 아주 좋아요. 카렌듈라밤과 젠틀밀크바스, 헤어앤바디워시도 좋습니다.

이지요

시판 요구르트들은 플레인이라고 해도 첨가물이나 과당이 들어 있어서 아기에게 먹일 만한 게 없었어요. 집에서 만들어 먹는 요구르트도 유산균 종균으로 사용하는 것은 결국 시판 요구르트라서 꺼려졌고요. 이지요는 첨가물이 없고 분말에 물만 부어서 이지요 메이커에 넣어서 만드는 제품이랍니다. 10시간 발효시키면 요구르트가 만들어져요. 아기들에게는 그리스맛과 오가닉맛을 먹이면 됩니다. 이지요 메이커는 전기를 사용하지 않고 뜨거운 물만 통에 부으면 되니 공간 차지도 적고 만들기도 편해요. 이지요메이커가 없으면 집에 있는 요구르트 메이커를 사용해도 된답니다.

유기농 네쿠틀리 아가베시럽

완료기 이후 아가베시럽 없이는 이유식을 만들 수가 없다고 했을 만큼 아가베시럽은 저에게 가족 건강을 위한 필수 제품이었어요. 처음에는 아기 음식에만 사용하다가 지금은 온 집안이 아가베시럽을 먹고 있답니다. 설탕은 집에서 사라진 지 오래 되었어요. 향이나 맛이 거의 없어서 음식에 넣어도 꿀이나 메이플시럽처럼 음식의 맛을 해치지 않아요. 혈당 상승 지수가 낮아서 아기에게 먹여도 안전하답니다. 천연감미료 같은 제품이라 음식에 감칠맛도 더해줍니다. 이지요 요구르트에 타 먹으면 신맛도 줄어서 더 맛있어요.

에코버 세제

환경호르몬과 아토피 걱정을 많이 하면서도 세제는 친환경 세제로 쓸 생각은 잘 못하는 것 같아요. 에코버는 현존하는 세제 중 가장 인체에 무해한 제품이면서, 친환경 세제는 세척력이 떨어진다는 선입견까지도 날려준 제품입니다. 주방 세제는 젖병부터 그릇까지 다 사용 가능하고, 세척력은 물론이고 손에 자극도 없답니다. 물에 빨리 분해되어서 지구 환경을 지키는데도 도움이 되는 에코 제품이에요. 저는 에코버가 국내에 런칭된 이후 지금까지 계속 에코버만 쓰고 있어요.

브레비 슬렉스 하이체어(식탁 의자)

첫번째 식탁 의자로 스토케의 트립트랩을 사용했었습니다. 성인이 될 때까지 쓸 수 있고 7년 무상 A/S라는 말에 큰 맘 먹고 구입했었죠. 그런데 칠이 들뜨고 A/S도 만족스럽지 못해서 브레비로 다시 구입했습니다. 제가 식탁 의자를 살 때 기준으로 삼는 모든 사항에 부합하는 것이 바로 브레비예요. 부피가 작아 공간을 많이 차지하지 않고, 높이 조절을 간단히 할 수 있어 아기의 체형에 맞게 조절이 가능해요. 또 활용 기간이 길고 견고하며 오래 써도 제품이 변하지 않아요. 디자인도 예쁘고 A/S도 만족스럽답니다. 국내에 들어와 있는 제품 중에 가장 완벽한 식탁의자가 바로 브레비 식탁 의자예요.

푸고 이유식 보관용기와 푸고 빨대컵

외출할 때 이유식 먹이는 것이 제일 걱정이에요. 식당 등에서 전자레인지에 데워달라고 부탁하는 것도 불편하고요. 다른 사람 손에 맡기는 것도 꺼려졌고요. 푸고 이유식 보관 용기는 사이즈가 작아서 가지고 다니기도 부담 없고, 따뜻하게 보관할 수 있어서 뚜껑만 열면 바로 먹을 수 있어요. 푸고 빨대컵은 스테인리스와 실리콘 재질이라서 환경호르몬 걱정도 없습니다. 따뜻한 물을 넣거나 우유를 넣어도 상할 염려가 없어요.

먼치킨 홀림방지 다용도 스넥통·식기
흘림방지 스넥통은 뚜껑이 고무재질이고 회오리 모양으로 되어있어 아기가 손을 넣어 스넥을 꺼내 먹을 수 있어요. 통을 흔들어도 내용물 이 밖으로 쏟아지지 않습니다. 흘림방지 다용도 식기는 뚜껑이 잘 열리지 않아 외출할 때 주먹밥이나 김밥 등을 담아가기 좋아요. 또한 과자를 담아두면 눅눅해지지 않아 오래 보관할 수 있답니다.

에피큐리언 도마
나무 도마면서 식기세척기에 사용 가능할 정도로 물에 강한 도마예요. 나무 도마이기 때문에 오래 쓰면 칼집이 생기는 것은 어쩔 수 없지만 항균 효과가 뛰어나고 물때나 음식물이 끼지 않으며 물에 강해서 곰팡이나 세균번식이 일어나지 않는답니다. 뜨거운 냄비 등을 올릴 때 사용해도 좋아요. 얇아서 수납하기도 편리하답니다.

기능성 스텐 도시락
밥, 국, 반찬으로 이유식을 만들어 줄 때 편리하게 사용할 수 있는 식판이에요. 음식을 담는 부분이 스테인리스로 처리되어 있어서 환경호르몬으로부터 자유롭고 겉부분은 플라스틱으로 처리되어 있어서 식판을 만졌을 때 뜨겁지 않아요. 깊이가 적당하고 세척도 편리해서 5살된 저희 아이도 아직 잘 쓰고 있습니다.

쿠이지프로 조리도구
조리도구는 환경호르몬 때문에 나무 소재로 된 것을 많이 사용했었는데, 나무는 오래 쓰면 칠이 벗겨지고 마모되어 나무 조각이 떨어지더라고요. 실리콘으로 된 조리도구는 환경호르몬으로부터 안전하고 냄새가 배지 않아서 위생적이에요. 실리콘 제품들은 시중에 많이 나와 있지만 쿠이지프로 제품의 실리콘 재질이 가장 좋아요. 손잡이 부분이 스테인리스로 되어 있고 볶음 스푼이나 스페츌라는 분리도 가능해서 세척하기도 편해요. 실리콘 집게는 젖병을 소독할 때 젖병 집게로 사용했고, 나중에 어른 음식용으로 쓰면 좋아요. 트위스트 거품기는 쌀 씻는 것부터 거품 내는 용도까지 다양하게 사용 가능합니다. 조금 무겁기는 하지만 문제될 만큼은 아니고, 가격도 많이 내려서 부담도 적답니다.

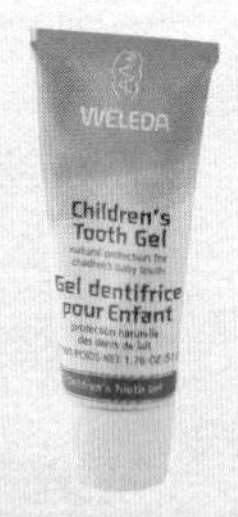

맨듀카 아기띠
엄마들이 사용하고 있는 제품들 중 가장 입소문 난 제품이 베이비비욘, 에르고 그리고 맨듀카 아기띠예요. 신생아부터 토들러까지 별도의 옵션없이 아기띠 하나면 다 해결되며, 아기 손이나 발이 닿는 부분은 천으로 한번 더 덧대어 있어서 피부가 상할 일이 없어요. 허리가 아프지 않고 아기, 엄마 모두 정말 편하답니다. 어깨쪽 버클이 가운데 있지 않고 한쪽에 몰려있어 버클 채우기가 불편하다는 단점이 있어요.

자연에서 온 종이호일
노르웨이 제품으로 종이 겉면에 실리콘 처리가 되어있는 종이예요. 고기나 생선을 종이 호일에 싸서 냉동 보관하거나 팬에 음식을 조리할 때 깔면 잘 타지 않고 팬을 씻을 필요도 없어요. 도마에 김치 등을 자를 때 깔기도 하고 베이킹을 할 때 쓰기도 한답니다. 쿠킹호일은 환경호르몬으로부터 자유롭지 못한 반면 종이호일은 고온에서도 타지 않고 환경호르몬도 나오지 않아 쿠킹호일이나 랩 대신 많이 사용하고 있어요.

벨레다 치약
아기들은 치약을 뱉지 못하기 때문에 치약을 선택하는 게 정말 어려웠어요. 벨레다 치약은 유기농 제품이고 계면활성제와 불소가 들어 있지 않아서 삼켜도 안전합니다. 아기들이 단맛에 익숙해지지 않도록 단맛이 나지 않아서 많은 엄마들이 안심하고 사용한답니다.

Index

ㅅ

ㅇ

ㅈ

ㅊ

ㅋ

ㅌ

ㅍ

ㅎ

유아용품 협찬

마더스몰 www.mother-s.co.kr 070-7431-7407
브레비 www.brevi.co.kr 031-932-6566
맥시코시 www.maxi-cosi.co.kr 1544-9420
먼치킨 www.sbaby.co.kr, 1544-9420
벤타코리아 www.venta.co.kr 02-2034-011
에코버코리아 www.ecoverkorea.com 1688-5335
베이비오가닉 인터내셔날 www.babyorganic.co.kr 050-6500-5500
그린베이비 www.littlemeorganic.co.kr 070-7559-1395
네쿠틀리아가베시럽 www.agaves.kr 02-2266-4922
이지요 www.easiyo.co.kr 1566-2752
천사마미 www.1004mami.com 070-8285-5919
투데코 www.2deco.com 031-963-4591

그릇 및 소품 협찬

와우웰리스 www.wowweles.co.kr 031-713-8238
컨트리앤하우스 www.countrynhouse.co.kr 070-7548-1688
빈티지드파리 www.vintagedeparis.com 070-7139-6210
트위니 www.twiny.co.kr 010-4804-5163
한샘 02-542-8558
르크루제 02-3444-8805
이딸라 031-902-3285
프랑프랑 070-7445-5781

Special Thanks

아기가 잘 먹는

이유식은 따로 있다

김정미 지음

1판 1쇄 펴낸 날 2010년 2월 1일
1판 70쇄 펴낸 날 2013년 6월 11일

펴낸이 | 조준일
펴낸곳 | (주)레시피팩토리
주소 | 서울시 광진구 자양3동 227-7 더샵스타시티 B-1401
대표 전화 | 02-534-7011~4
팩스 | 02-534-7019
홈페이지 | http://www.super-recipe.co.kr
출판신고 | 2008년 12월 30일 제25100-2009-000038호

편집장 | 박성주
책임 편집 | 이채현
진행 | 지은경
사진 | 박영하
스타일링 | 최근희
디자인 | 디자인 상자
속표지 일러스트 | 지정화
제작·인쇄 | (주)대한프린테크

값 12,800원

ISBN 978-89-963472-0-0